BARZAN DIGI...

(Enfalkirina Heşt Hezar Barzanıya...

Bûbê ESER

sîtav

Weşanên Sîtav | 85

Roman | 7

Barzan Digirî | Bûbê Eser

Edîtor | Qahir Bateyî

Sererastkirin | Sîtav

Berg & Rûpelsazî | Sîtav

Wêneyê Bergê | Siyabend Kaya

Çapa Yekem | Berfanbar 2017

Bizim Büro Matbaa Dağıtım Basım Yayımcılık San.
Tic. Ltd. Şti.
Sanayi 1. Cad. Sedef Sok. No: 6/1 İskitler/Ankara
Tel: 0312 229 99 28 Fax: 0312 229 99 29

ISBN| 978-605-67422-1-7

Weşanên Sîtav

Navnîşan | Şerefiye Mah. Ayaz 1 Sok. No: 14 D. 1
İpekyolu/VAN
Tel: 0432 216 21 20
e-mail: wesanensitav@hotmail.com

BARZAN DIGIRÎ

(Enfalkirina Heşt Hezar Barzaniyan)

Bûbê ESER

sîtav

Bûbê Eser

Bûbê Eser di sala 1955'an de li gundê Xozberiya Dêrika Çiyayê Mazî ya Mêrdînê hatitye dinyayê. Dibistana seretayî li gundê Qesra Qenco, ya navîn û lîse jî li bajarê Mêrdînê qedandiye. Di sala 1975'an de li Enqerê dest bi zanîngehê Beşa Aborî dike. Salek dimîne ku zanîngehê biqedîne tê girtin lewre zanîngehê naqedîne.

Bûbê ji ber xebatên xwe yên siyasî dı sala 1980'an de hîn zavayekî du mehî bû tê girtin. 72 rojan di îşkenceyê de dimîne, îşkenceyên xedar lê tên kirin, şopên îşkencê hîn li ser bedena wî hene. Di îşkenceyê de ji ber ku dilê wî disekine polîs wî mirî dizanin lewma wî di qata çaran de davêjin jêr da ku bêjin wî xwest bireve. Lê dema davêjin ew li ser erebeya polîsan dikeve û dilê wî ji nû ve dişuxule û bi vê ew ji mirinê xilas dibe.

Bûbê Eser di gulana sala 1982'an de ji girtîgehê tê berdan. Lê ji ber zextên polîsan demekê diçe bajarê Trabzonê, li wir jî zextên polîsan berdewam dikin lewre welatê xwe terk dike û di sala 1983'an de diçe Swêdê û hîn jî li wir dijî.

Bûbê li Swêdê bêtir bi karê nivîskariyê re eleqeder dibe. Heta niha heft berhemên wî derçûne. Berhama wî ya bi navê Gardiyan ku li ser jiyana girtîgeha ku ew bi xwe jî qederê sê salan tê de bû ye. Ev pirtûk du caran bi zimanê kurdî, bi zimanê yunanî û bi zimanê tirkî hatiye weşandin. Bûyerên vê pirtûkê hemû rast in. Bûbê bi xwe jî gelek ji van bûyeran jiyaye û bi serê wî de jî hatine.

Bûbê Eser zewicîye du keç û du kurên wî hene.

Berhemên wî yên hatine weşandin;

1) Gardiyan,1994, Stockhom, Weşanên Roja Nû (Roman)
2) Gardiyan (Bi Yunanî) 2001 Yunanistan
3) Gardiyan (Bi kurdî) 2006 Stenbol, Weşanên Doz
4) Gardiyan (Bi Tirkî) 2007, Stenbol Weşanên Doz
5) Gardiyan (Bi zarawayê Soranî) Başûrê Kurdistanê, 2010
6) Jiyanek, 2005, Stenbol, Weşanên Bajar (Roman)
7) Enfal û Jenosîda Bi Kurdî, 2007, Başûrê Kurdistanê, (Lêkolîn)
8) Sîno bû Efendî, 2007, Stenbol, Weşanên Doz, (Novel)
9) Zewaca Şaş, 2008 Stenbol, Weşanên Doz (Şano)
10) Rastiya Me, 2008, Stenbol, Weşanên Doz (Nivîs)
11) Dîroka Rureş, 2009 Stockholm, Weşanên Sara (Şano)

Ji bo kurê min Serhat, David û keça min ya hêja û delal Dilba

Ez vê berhema xwe ya li ser navê 8000 Barzaniyên Enfalkirî diyarî Serokê neteweyî nemir Mela Mistafa Barzanî, nemir Idrîs Barzanî û Serokkomarê Kurdistanê birêz Mesud Barzanî dikim. Bila ev bibe diyariyeke min ya biçûk ji bo hemû pêşmêrgeyên qehreman û pîra min ya delal Gulxanim.

PÊŞGOTIN

Eger bêt û em laperên dîroka gelê kurd helvedin û tenê sedeyekê bo ya raborî vegerin, dê em bibînin ku çendîn şoreş û raperîn hatine encamdan û çendîn serwerî hatine tomarkirin. Barzaniyan û xelkê devera Barzan jî pişkeka mezin berdikeve di serkêşîkirin û tomarkirina van şoreş û raperîn û serweriyan de.

Her wiha Barzaniyan roleke aktîv û kargêraye ji bo serfirazî, rizgarî û azadiya gelê kurd û Kurdistanê. Lewma pêxemet vê çendê pitir li sedeyeke xelkê wê tûşî karesat, zirar û ziyanên zor mezin bûne û ji wan, kuştin, girtin, êşkencedan, vegwastin, talankirin, derbiderkirin, jenosîdkirin... û hwd.

Mamoste Bûbê Eser ku nivîskarek e û kurdê bakurê Kurdistanê ye û li derveyî welatî dijî viyaye vê xebat û qurbanîdan û şoreş û berxwedanên Barzaniyan, Enfal û jenosîda hatiye serê wan bi şêweyê romanê binivîse û xizmeteka mezin pêşkêş bike.

Ez jî ji nêzîk ve haydarbûm ku nivîskarî çendîn talî, zehmetî û nexweşî dîtine û li Swêd mal û halê xwe hêlaye û çend heyvan maye heta ku bikare bi çavên xwe bibîne ya hatiye serê Kurdstanê û bi rêya çavpêkeftin û lîkolînan li kes û karên Barzaniyan hindek ji êş û karesat û jenosîda hatiye serê wan binivîse û bi rêka romanekê bi navê Barzan Digirî, her çend kes neşêt wekû pêdivî hemî rex û çan û kujiyên wê behsbike, lê mamoste Bûbê hewil daye di vê romanê de bi teva vî kezî û biskên babetê bi destê xwe şe bike û serederiyeka hûr û durust di gel rastiya peyvan bike.

Wî her wiha bi durustî bizav kiriye ku hespê viyan û şiyan û hêza xwe li vê meydanê bixarîne bo gihiştin bi wan merem û armancan. Serbarî wan astengên ku hatine pêşiya nivîskarî, ew şiyaye ta radeyekê baş tê de serkeve û hemî dîrokê ji zar devê pîra Gulxanim behis bike, ku ew bi xwe şahida hemî van rûdanan bûye.

Lewma li dûmahiyê hêvîdarim ku nivîskar bişêt berdewam be, baştir û çêtir û pitir xizmeta welatê xwe li vî biyavî bike. Û hemî rexne û têbînî û kêm û kuriyên li ser vê çendê bibine faktorê sereke ji bo xizmeteka mezintir. Çunku ev pêngaveke pîroz û karekî herî mezin e ji bo xizmeta xwîna şehîdan, kes û karên jenosîdê. Her serkeftî bî.

Hazim Bileyî

Gotina min

Min li ser pêşniyara birêz Şêx Feryad Barzanî ku ez bikaribim roman û şanoyekê li ser Enfala Barzaniyan binivîsînim, di roja 23.04.2007'an de li welatê xwe yê azad, li devera Barzan li bajarokê Bilê, ji bo ku bizanibim û binasim ka piştî Enfalê li devera Barzan jiyan çawa bû, li wir bi cih û war bûm.

Min xebata xwe bi seredana mezelên nemiran Senrok Barzanî û Idrîs Barzanî û ziyaretên malên Enfaliyan destpê kir. Dema li wir bûm, bi kêmanî rojê diçûm seredana sê malan. Bi wan re sohbet dikir. Min hin pirsên taybet ji dayîk, jin keç û kurên Enfaliyan dikir ji bo ku jiyana wan baş binasim. Yanî bi vê xebatê min xwest ez jî bibim yek ji wan da ku bikaribim roman û şanoya xwe li gor bûyer û rûdanên şahidên zindî biafirînim. Li min wiha hat. Di dawiya dawî de ez bûme yek ji wan. Lewre êdî ez jî bi wan re digiriyam, dikeniyam, dixwar û vedixwar. Li malên wan razam û bi vê xebatê min ew û jiyana wan baş nas kir. Bi vê mebestê ez gelek sipasî brêz Şêx Feryad Barzanî dikim û dibêjim; Heger ne ew pêşniyara wî ba, dibû ku ev şano û romana Barzaniyên Enfalkirî nehata nivîsandin.

Di nava lêkolîn û karê xwe de ez li pîrê, Tolgaya rûs û Gulxanima kurd rast hatim. Piştî nasîna wê min berê xebata xwe guherî û kir guhdarîkirina wê. Ji ber ku ew şahideke zindî ya Barzaniyan bû.

Min xwest li ser zarê wê, bi gotina wê, dîroka Barzaniyan ya piştî têkçûna Komara Kurd li Mahabadê, heta dema Enfalê guhdarî bikim û binivîsînim. Her min wiha jî kir. Ez dizanim weşandina vê berhema ku weke belgenameyekê ye, bi derengî ket. Ew jî ne di destê min de bû...

Êş û jana Enfalê îro jî zindî ye, îro jî didome. Dayîkên kurd îro jî xwîn digirîn. Ez demeke derêj li devera Barzan bi cî bûm da ku li ser karesata Enfalê lêkolînê bikim. Her wiha min li ser bûyerê xebateke bê westan û bi qasî yanzde mehan, karê xwe kûr û hûr kir. Bi şahidên bûyerê re rûniştim, êşa wan parve kir û têbiniyên xwe girtin. Di dawiya vê xebatê de û bi munasebeta salvegera jenosîda Barzaniyan ya 25 saliya wê de (31.07.1983-31.07.2008) bi şanoya navê DÎROKA RÛREŞ ew bûyerên tarî ronî kir û anî zimên û li Swêdê weşand. Wiha xuya ye vê zêde bal nekişand.

Xebata romana wê karesatê ango ya Enfalê jî piştî demek dûr û dirêj ji ber hin sedeman dereng ket. Lê niha qediya û li ber destê we ye. Bi saya van berheman wê bûyer û rûpelek ji dîroka Barzaniyan ya baş nedihat zanîn dê ronî bibe. Ji ber ku ez şahidekî zindî me ku min bi gelek malbatên Enfalkirî re hevdîtin, hevpeyvîn û sohbet kirin in.

Enfal, êş e, jan e, hêsirê çavên dayîkan e. Xwîna zarok û dayîkên dixwestin serî li hember leşkerên Saddam rakin da ku mirovên wan nebe. Enfalê hesreta keçên destgirtî di qirika wan de hişt. Enfalê dayîk hem kir bav hem jî dayîk. Enfal tofaneke nedîtî bû Seddam anîbû serê kurdan. Lewma jî divê kurd vê baş fêr bibin û bidin zanîn, Enfal ne tenê kesên hatine birin û binerdkirin e. Ya girîng ew e ku piştî birina zilaman, kes û xizmên wan çawa jiyane, zarokên xwe çawa mezin kirine û çawa wan jinan serî li ber Seddam û leşkerên wî nedanîn e.

Enfal, plan û pêkanîna Seddamê hov ji bo tunekirina hêza netewî û ji holêrakirina nijada kurd û bi taybetî ya Barzaniyan bû. Beşek ji vê plan û pêkanînê li devera Barzan hate kirin. Ji ber ku Barzan cihê serîhildan û xwe parastina gel ya kurdan bû. Lewma Seddam xwest ji vir de û ji wan de destpê bike. Bi rêya Enfalê bi hezaran kurdên bêparastin hatin qetilkirin. Bûyer, jenosîdek aşkera ye.

Enfal jenosîdeke plankirî bû. Lewre ev li gor planên Seddam pêk hat. Ji ber ku Seddam, cihên ku serîhildan û berxwedana kurdan bû, dixwest wan deran xerab bike û kesên li wir bide koçkirin, bikuje û winda bike. Lewma jî her tevgereke Seddam bi plan dihate kirin ku kurdan û bi taybetî Barzaniyan tune bike.

Enfalê care yekem di 31.07.1983'an de li devera Barzan û ji Barzaniyan destpê kir. Di wê demê de û li devera Barzan 8000 zilamên Barzaniyan ji aliyê leşkerên Seddam ve hatin Enfalkirin. Ji wan 8000 kesan, kesek li mal venegeriya û hemî jî li cihên ne diyar bi saxî hatin binerdkirin. Her wiha Enfalê di heşt qonaxan de berdewam kir.

Her ez ê hewl bidim da ku wan hevpeyvîn û çavpêketinên min kirine jî weke pirtûkekê bidim weşandin…

Min li gor îmkanên xwe û bi saya alîkariya niştecihên Bilê, qederê heft mehan karê xwe li Bilê kir. Piştî wê êdî derfet û îmkanên min neman lewma min daxwaza alîkariyê kir û birêz Nêçîrvan Barzanî ji bo karê xwe temam bikim, hin alîkarî ji bo min şand. Bi saya wê alîkariyê êdî min xebata xwe piştî heşt mehan li Hewlêrê û ji wir jî her roj çûna gundekî û bajarekî domand. Ez ji bo vê alîkariyê spasiya birêz Nêçîrvan Barzanî dikim. Min bi saya vê alîkariyê hema hema karê xwe qedand û piştî yanzdeh mehan li Swêdê vegeriyam.

Ez spasiya hemî rûniştvanên devera Barzan û hemî malên Enfaliyan dikim. Wan jî bi her awayî alîkariya min kirin. Wan tu caran nedixwestin ez li wir xwe weke yekî xerîb ango biyanî bibînim.

Spasiyeke taybet ji bo nemir şêx Evdila Barzanî yê li gundê Barzan û kurê wî ku li gor daxwaza wî li ber mezelê nemiran bû û xêrhatina mêvanan dikir. Rehmetî ez li mala xwe kirim mêvan bi Sohbet û guhdarîkirina wî mirov serwextî gelek tiştan dibû.

Spas ji bo Elî Ewnî, dema li Hewlêrê bi cih bûm wî bi kêmanî heftê carekê seredana min dikir. Bi gelek henek, yarî û serpêhatiyên ku wî behs dikir, ji wan gelek tiştan fêr bûm.

Spas ji bo berpirsê Sentera Çanda Bilê birêz Faxir ku ez li mala xwe kirim mêvan û heta demekê ez her roj li mala wî bûm.

Spasiyeke germ ji bo Radyoya Herman ya Dengê Devera Berzan û hemî xebatkarên wê. Bi rastî hemî ciwanên li wir kar dikirin, baş li min mêze dikirin.

Spas ji bo Mubeşerê dilovan, ez birim heta mezelên nemiran û li vir min sonda ez ê vî karî biqedînim da wan.

Spas ji bo hêja Mustefa Ozçelik, dema min li başûrê Kurdistanê karê xwe yê li ser jiyana Enfalê dikir, ew jî li vir bû û bihîstibû ku pêwîstiya min bi makîneyeke nivîsê heye ku min carna nivîsên xwe derxista ser kaxizê da ku ew bixwendina, kêmasî û şaşiyên xwe rast bikirina, ji bo min yek şandibû. Birastî wê makînê alîkariyeke baş bi min re kir. Mala wî ava be.

Spasiyeke taybet ji bo birayê hêja Selîm Giresorî û malbata wî, ew jî hatin seredana min dema li Bilê bûm. Ez jî çend carekê bûme mêvanê wan.

Spas ji bo hemî xebatkarên Centera Çanda Bilê. Wan jî qet ez bi tenê nehiştim. Spasiyek taybet ji bo Hazimê Safiya (Mihemed), spas ji bo pîra wî, dayîk, xwîşk û birayên wî. Mal ên wan bûn, bûn weke mala min…

Spas ji bo navçeya Bilê deriyê xwe ji min re vekir. Min jî weke pêşmêrgeyekî gelê xwe, her roj xwarina nîvro li wir dixwar. Spas ji bo Mamoste Osman berpirsê navçê, bi qasî îmkanên xwe bi gotin û pêşniyarên xwe ji min re bû alîkar.

Spas ji bo birayê ezîz Tayib Abdula. Ez li mala xwe kirim mêvan û ji bo ziyareta malên Enfalkirî yên devera Soran û hinên din, alîkariya min kir.

Spas ji bo Salih Şingalî wî jî ez kirim mêvanê mala xwe û bi qasî jê hat ji min re bû alîkar.

Sipas ji bo navçeya Mêrgesorê. Ez hefteyekê li wan bûme mêvan da ku li wê deverê jî hin malbatên Enfalkirî bibînim.

Spas ji bo birayê min ê biçûk M. Emîn Eser. Wî jî bi pêşniyar û têbiniyên xwe barê min hinekî sivik kir.

Ez gelek û gelek spasiya hevsera xwe Zelîxanê û zarokên xwe dikim. Ew jî di pêvajoya vê xebatê de tenê man û zehmetî kişandin. Ez qederê yanzde mehan ji wan dûr mam. Ji ber ku li Ewrûpa ji bo jineke biyanî bê mêr û zarokên bê bav, jiyaneke ne xweş, zor û zehmetiyek xerab dibînin.

Spas ji bo kurê min Serhad. Dema ez li Kurdistana azad bûm û min karê xwe dikir, wî jî li xwîşk û birayên xwe dinêrî, pêdivî û pêwîstiyên wan dianî cih.

Helbet kar bê zehmetî nabe, min jî ew zehmetî dît û bi kêfxweşî ew roj derbas kirin. Ez dizanim, karê bê zehmet weke nanê bê xwê ye. Lewre min jî nexwest xebata min, zehmetiyên min bibe ew nan.

Ez dizanim û agahdar bûm, hinan nedixwestin ez vî karî bikim, lewma bi saya wan gelek derî li min hatin girtin. Lê min li berxwe da, karê pêve rabûbûm û soza min dabû nemiran pêk anî.

Heger min hin nav ji bîr kiribin û nenivîsandibin, doza lêborînê dikim. Lê bi rastî hemî Barzaniyên rûniştvanên devera Barzan bi dil û can alîkariya min kirin. Xwestin ez di karê pê ve rabûbûm, bi serkevim.

Ez spasiyeke taybet ji bo hemî kesên ji xebatên min kêfxweş bûn û bi qasî ji wan dihat alîkariya min dikirin yan jî morala min xurt dikirin, dikim.

Hêvîdar im ev berhem bi dilê gelê kurd û bi taybet

bi dilê Barzaniyan be. Wan bi kar û xebatên xwe ji me re welatekî azad anîn, min jî bi du berhemên xwe kar û xebatên wan nivîsî da ku gel û cîhan jî vê fêr bibin.

Spas ji bo wan kesên nedixwestin ez vî karî bikim û bi serkevim. Lê min bi herdu berhemên xwe bersiva wan da…

Spas ji bo wêneçêkerê kurd Siyabend Kaya ev wêneyê delal yê berga pêşî diyarî vê berhemê kir.

Dema li Kurdistana azad bi cih bûm, min dît divê ne tenê berhemek bê nivîsandin. Ji bo ku mirov wan karesatan baş bide fêmkirin pêwîstî bi çend berheman heye da ku hema quncikek ji wê dîrokê ronî bibe. Lewma piştî demekê min biryar dabû ku ez ê bi sê berheman wê dîrokê bidim zanîn; BARZAN DIGIRÎ... BARZAN BERXWE DIDE û BARZAN AZAD e. Piştî van hersê berheman jî minê li gor guhdarîkirin û zanîna xwe rêbaza Barzanî jî binivîsanda. Lê mixabin carna hesabê malê û sûkê li hev nayê. Ê min jî wiha bû.

Bûbê Eser

Ez û Pîrê

1

Samî li bakurê Kurdistanê ji bo azadiya gelê xwe gelek kar û xebatên siyasî dikirin. Ji ber wan xebat û zîrekbûna wî ew di çavên dijminê gelê xwe yê hov de bûbû kelemek. Ji bo rakirin û paqijkirina wî kelemî, dijmin her têdikoşiya da ku wê kelemê li ber çavên xwe rake. Ji ber vê bû ew Samî digirin.

Êşkenceyên hovane lê dikin. Tiştên neyê bîra mirovan tînin serê wî. Dikujin lê ew ji ber bêariya xwe ji nû de sax dibe. Bi vê, yanî ji nû de saxbûna xwe, dijminê xwe bêtir har û şêt dike. Lê ew dijminê har jî çi metod û êşkenceyên hovane hene, li wî diceribîne. Ne Samî bi ya wan dikir û ne jî wan êşkenceyên xwe kêm dikirin.

Di eslê xwe de armanca wan a asasî ne kuştina Samî bû. Wan dixwest wî bidin axaftin da ku bikaribe, wê partiya Samî bi xwe endamê wê ye, tune bike. Ji ber ku li ser Samî gelek tiştên bi rastî jî dikarîbû partiyê tune bike, hatibûn girtin.

Ji ber lêdan û êşkenceyên hovane, ji ber zêde dayîna elektirîkê, dilê Samî disekine û wî di qata çaran de davêjin jêr û dixwazin bi vê yekê weke Samî xwe avêtibe û xwestibe bireve, nîşan bidin. Lê dema wî davêjin ew ji qata çaran bi şid li ser seyara li jêr ya polîsan dikeve û dilê wî ji nû ve dixebite. Yanî wan hem ew kuşt hem jî dîsa wan bi destê xwe û bi saya wê avêtinê ew sax kirin.

Di vir de divê ev jî bê zanîn, Samî di daîraya dewletê ya Zîreetê de karmend bû. Ew û şefê karê xwe di yek odeyê de bûn. Şefê wî bi salên xwe gelek mezin bû û di dema xortaniya xwe de ew jî welatparêzekî hêja bû. Tê girtinê, wiha xuya bû piştî girtina xwe bi tenê dimîne, kesek halê wî napirse.

Dema ji girtîgehê tê berdan jî bi tena serê xwe dimîne. Ji ber vê ew nav û paşnavê xwe diguhere û di daîreya zîreetê de kar dike. Ji ber zîrekbûn û durustiya xwe li wir dibe Şef. Piştî Samî jî li wir dibe karmend, ew ango şef gelek ji Samî hez dike. Dizane yan jî fêm dike Samî çawa ji bo welatê xwe kar dike. Dûvre fêm dike Samî endamê wê partiyê ye ya ku ew berê endamê wê bû. Lê ew ya dilê xwe qet ji tu kesî re dernaxe. Lê welatparêziya wî her di dilê wî de geş dibû. Ji ber vê bû kêfa wî gelek ji Samî re dihat.

Car carna wî bi hin gotinên xwe, ji Samî re dida xuyakirin ku Samî kî ye û çawa ji bo welatê xwe kar dike û endamê kîjan paritiyê ye. Samî jî piştî hin lêkolînan hema hema ew û jiyana wî fêr bûbû. Lê herdu jî li hember hev bêdeng bûn.

Dema polîs Samî digirin û dixwazin bibin, ew ango Şefê Samî ji polîsan daxwaz dike ku ew kaxezekê îmze bikin û bidin wî ku wan Samî birine. Polîs ewil vê daxwaza wî qebûl nakin heta hinekî pêre hêrs jî dibin. Lê ew dibêje:

- Binerên hûn jî ez jî em hemû karmendên dewletê ne. Ez Şefê Samî me yanî ew di bin emrê min de kar dike û ez niha berpirsê wî me. Wî çi kirîye û hûnê bi wî çi bikin min eleqeder nake. Hûn wî dibin jî ev heqê we ye. Lê sibê malbata wî, dê wî ji min bipirse bibêje Samî li ku ye. Divê ez bersiveke maqûl bidim wan.

Polîs naxwazin tiştekî wiha bidin, Şef jî naxwaze Samî wiha bibin, li ber hev didin dawiyê polîs dibêjin ka telefonê şefê me bike, em bi serê xwe nikarin kaxezekê bidin te ku me ew biriye.

Dûre Şefê Samî telefonê Şefê polîsan dike û bi zanetî wiha dibêje:

- Alo merhabe, ez ji daîreya zîreetê telefon dikim. Polîsên we karkerekî min girtin û dê wî bibin. Ji ber ku ew di bin berpirsiyartiya min de ye, sibê malbata wî dikare were wî ji min bipirse. Ji bo ku serê min û we nekeve belayê bila polîs kaxezekê îmze bikin da ku wan Samî birine û bidin min, wekî din hûn bi wî çi dikin bi kêfa xwe ne.

Wiha xuya bû şefê polîsan vê qebûl dike. Polîsên Samî digirin kaxezeke bi îmze ku wan Samî birine dide Şefê wî. Aha ya Samî sax hişt ew kaxeza bi îmza polîsan bû. Ji ber ku berî Samî û piştî Samî jî gelek welatparêz ji aliyê polîsan ve hatibûn kuştin û binerdkirin an jî avêtibûn ava Dicle ya Diyarbakirê.

Saxmayîna Samî ji ber wê kaxezê bû. Ji ber wê kaxezê bû polîsan jî nikarîbûn Samî weke gelek welatparêzên din bikuştina û bavêtana cihekî ne diyar. Lewma wî di qata çaran de davêjin jêr…

Polîsan Samî mirî dizanîbûn, ji ber vê bi lez û bez direvin jêr û bi dengê bilind ji bo xelk bibîhîze û fêm bike, wî xwe avêtiye, dibêjin: "Xwe bidin alî, xwe bidin alî, wî xwest bireve û xwe avêt. Xwest bimre ji bo ku bibe bela serê me". Lê bi ya wan nebû.

Samiyê me bi gotina kurdan ew jî bûbû weke pisîka heft ruh û bi saya wê ketinê ji nû ve li jiyanê vegeriya.

Polîsên ew mirî dizanîbûn ew rakirin nexweşxanê û li wir fêr bûn ku ew ne miriye. Bi vê yekê bêtir şaş man. Çawa nemiriye? Ev yek li zora polîsan hatibû ku ew hê sax e. Dema Samî li nexweşxanê radizînin bi du rojan vê carê dixwazin derziyek jehrê lê bidin ji bo ku ji wî xilas bibin. Lê bi vê jî bi sernakevin.

Ji ber Samî hê zavayekî du mehî bû û jina wî jî di wê nexweşxana niha ew lê bû, hemşîre (feristyar) bû. Polîsan bi vê nizanî bûn. Yanî wan nizanîbûn jina Samî li vê nexweşxana wan Samî anînê, hemşîre ye. Dema jina wî fêm dike ku wê derziya jehrê lê bidin, ew bi lez û bez wê derziyê bi saya hevaleke xwe ya hemşîre diguhere û li şûna wê derziyeke qawetê datînin.

Samiyê me yê heft ruh hefteyekê li nexweşxanê dihêlin. Hê baş nehatiye ser hişê xwe vê carê dîsa dibin cihê êşkencê. Li wir dîsa êşkenceyên hovane pê dikin. Simbilên wî radikin, porên wî radikin, bi lêdan û êşkenceyên nedîtî tu halî tê de nahêlin. Çi dikin nikarin wî bidin axaftin da ku ew navê partiya xwe û hevalbendên xwe bide polîsan. Polîs bi sernakevin pê ve diwestin û piştî êşkenceyên bi rojan vê carê wî dişînin Qurtogliya ku cihê leşkriyê ye. Li wir di odeyeke yekmetrekare de û deriyê wî jî weke şibakên hesinkirî bûn bi cih dikin.

Belê di wê hucra Samî lê, tu tiştek tunebû. Binê wê erd û ew erd jî şil kiribûn da ku Samî li wir bêtir bicemide û ji ber sermê biaxive da ku zû ji wir derkeve. Lê na, carekê Samî xistibû serê xwe dimre lê wê qise neke. Di wê sala (2.1.1980) ku Samî hatibû girtin jî sermayeke zor li Diyarbekirê hebû.

Te digot belkî ew sar û sermaya wê salê ji bo wî hatibû. Di wê serma kambax de û di wê hucreya binê wê şil û deriyê wê tune de, tu nemabû ew bimre. Ne nan û ne jî av didanê. Tu tiştekî wî yê bikira tunebû, lewma di ber halê xwe dida da ku nemire û bikaribe rojekê vê tolê ji ber van xebatên xwe ji dijminê xwe hilîne.

Bi wî halê xerab, bi wî halê nîvmirî piştî du rojan, du kesên sivîl, dihat zanîn ji MÎT'ê bûn (Îstîxbarata tirkan) têne ba Samî dikevin wê hucreya binê wê şil ya ku sermayeke xeter lê hebû. Berê polîsê similên wî zer, bi bejna xwe ya dirêj, bi mirûzekî nexweş li Samî dinêre û dibêje:

- Binêr Samî! Me nexwest te bikujin. Me xwest tu tiştê dizanî ji me re bêjî. Te qise nekir bi wê hêrsê me zêde elektirîk da te, dilê te sekinî, me tu mirî zanîbû û me tu di qata çaran de avêtî lê tu nemirî. Em va ye dîsa hatin û vê carê tê nefilite û sedema hatina me ya heta vir ew e; ya tê qise bike û her tiştî ji bo me bêjî, em ê jî te ji vir û ji girtîgehê jî xilas bikin. Yanî em ê te ji vir berdin û tê herî mala xwe, weke ne te em dîtibin û ne jî me tu. Yan jî em ê te li vir bişewitînin û bêjin; wî xwe avêt nemir, îcar li vir xwe şewitand û mir. Li gor vê bifikire û biryara xwe bide. Te got çi?

- Bawer bikin min çi zanîba, minê ji we re gotiba. Ma ev halê ez tê de me qey hal e. Ji min bawer bin ez tiştekî nizanim.

Hê gotina wî neqediyabû polîsê din bi dengekî berz got:

- Hê tu li ser ya xwe yî ha, hê tu naxwazî hemî tiştên tu dizanî bo me bêjî, ha! Kuro lawo em dizanin tu kî yî, endam û berpirsê kîjan partiyê yî û di wê partiyê de erk û berpirsiyariyên te baş dizanin. Ê navê te daye hemî tişt ji me re gotiye. Bes e te em anîn ga. Heger tu vê carê jî her tiştî ji me re nebêjî, êdî xelasiya te nema. De ka bêje; ji endambûna xwe û navê berpirsên xwe yek bi yek ji me re bêje.

- Min gelek caran got û dîsa dibêjim; ez bi tu tiştekî nizanim û ne endamê tu partiya me. Heger min zanîba, min ê ji we re bigota û min ê xwe ji vî halî xilas bikira. Aha va ye ez dimirin! Ma kî dixwaze bimre?

Werhasil Samî û ew herdu polis weke cara ewil êşkence pê kiribûn, gelek berhev didin û çi dikin Samî ji ya xwe danekeve. Polîsê ewil dibêje;

- Biner Samî henek li ba ma tune ye. Heger tu vê carê jî qise nekî, em ê te li vir bişewitînin. Tê li vir bi vî agirê me û li wê dinyê jî tê bi agirê dojehê bişewitî. Ka bêje?

- Bawer bikin ez bi tu tiştekî nizanim.

Hê axaftina Samî neqediya bû polîsê din bi şîdet boksek li ser çavê wî xist, ew li ser piştê di hucre xwe de dirêj bû. Bi ketin û dirêjbûna wî, vê carê polîs êgir berra nigê wî yê çepê da. Dema agir li nigê wî gûr bû polîs dîsa got:

- Binêr kurê qehbê tu dişewitî, ya tê her tiştê tu dizanî ji me re bêjî yan jî em ê herin û tê li vir di nava vî agirî de herî heta agirê dojehê. Zû bêje.

- Bawer bin heger min zanîba, minê bigota. Ma kî dixwaze bimre? Ez jî va ye dibînim, ber bî mirinê ve diçim. Lê tiştekî nizanim û nikarim bi derewan malikê li hinên din jî xerab bikim.

Polîs dinêrin wê Samî qise neke, Polîsê simbêlzer vê carê bi hêrs pihînek li ser çavê wî xist û got:

- De bimre, kurê qehbê, de bişewite xaînê welêt. De here dojehê li wir jî agirê ji vî hartir li benda te ye.

Piştî polîs derketin Samî rabû û destpêkir ku wî agirê li nigê wî yê çepê hatibû xezebê vemirîne. Vedimirîne li heta wî ew vemîrand, agir xwe hiştibû heta çongê wî. Piştî vemirandina wî agirî, Samî difikirî bike haho dibe wî rakin nexweşxanê da ku nemire û seqet nemîne. Bi haho û gaziya wî leşkerê li ber wî di nobetê de bû bi hêrs lê nihêrî û got:

- Hiş be kurê kerê, dengê xwe dernexe û tê wiha bimînî heta tu dimirî.

Samiyê me ji nû ve xwe bêdeng kir. Êdî wî jî nema dizanî hê wê çi tiştên din bên pêşiya wî. Gelo wê di wir de bimre yan jî…

Piştî du rojan ku di wî halî de ma, rojekê du kesên weke ku dixtor bin, hatin ba Samî li halê wî nêrîn, ew hê sax e. Lewma ew nigê wî yê şewitî dan ser hev û bi çampolekî gemarî girê dan. Heger Samî zû dernexistina ba dadgêr û dadgêr jî emrê girtina wî neda û ew neşanda girtîhegê, wê nigê wî wiha bi hev bikeliya û dê ew seqet maba.

Lê dîsa jî mala wan ava be, wî bi halekî xerab wî dişînin ba dadgêr, ew jî çend pirsan ji Samî dike û li gor îfada polîsan li ser navê wî amade kiribûn, emrê girtina wî dide û dişîne girtîgehê.

Li girtîgehê jî ji ber bûyerekê çend hevalên wî yên partiyê hatibûn girtin û li wê girtîgeha niha Samî jî şandinê bûn. Li wir hevalên wî yên partiyê dema li çav Samî û wî halê wî ketin, nema zanîn çi bikin. Ketin nava lez û bezekê, ji karbidestê girtîgehê derman xwestin, wî jî tiştên li revîrê yên ji bo Samî lazim anîn. Hevalên wî Zekî û Husamettin hema yek ser ew çampolê gemarî ji nigê wî vekirin li gor îmkanên girtîgehê û tiştên bi destxistibûn, nigê wî derman kirin.

Samî gelek zor û zehmetî ditin û piştî gelek tade û êşkenceyan, bi vekirina girtîgeha bi navê 5 Nolî, êdî hemî girtî şandin wir. Ew jî şandin girtîgeha 5 Nolî ya bi navê Diyarbekirê. Diyarbekirê du navên xwe hene. Kurd piranî bi navê Amedê wê dinasin. Lê di nava qeyd û defterên dagirkeran de weke Diyarbekir e. Ameda şêrîn, cihê welatparêzan, ciwan û şoreşgeran bû. Lê mirov çi bike carna qeder berevajî digere. Li Amedê jî wiha hatibû.

Dema mirov ji êşkence û lêdanên hovane xilas dibe û dişnin girtîgehê mirov dibêje êdî mirov ji lêdan û êşkenceyan xilas dibe. Lê de werin vê carê, êşkence û zilma di girtîgehê de dihat kirin, hezar qat ji ya êşkencên Samî dîtibûn zortir û xerabtir bûn. Lê Samiyê me di wir de û di bin wan êşkenceyên hovane de qederê sê salan ma û dûv re emrê berdana wî dan. Lê dadgehkirina wî her berdewam bû.

Belê her çiqasî dadgeh emrê berdana wî dide jî, lê vê carê serpelê (yuzbaşi) wê zîndanê Esad Oktay Yildiran îtîraz dike û dibêje; Samî ne yê berdan ango yê tehliyekirinê ye. Ew mirovekî partiyê yê mezin e. Ew gelek tiştan dizane û li ser wî pir tişt hatine girtin. Nabe ew bê berdan, divê ew qise bike û ji me re her tiştî bibêje.

Lewma serpel ji bo ku Samî neyê berdan dikeve nava tevgerê ha li wir ha li vir, kesên ji xwe mezintir dibîne û dibêje; Haho ev ne yê berdanê ye.

Ji ber van gotinên û hewldanên Esad Oktay, Samî du mehan piştî tehliya wî li girtîgehê hêlan û dûv re rojekê ber bi êvarî leşkarekî ba wî kir û got:

- Samî, kincên xwe hazir bike tê herî mal.

Lê Samî ji vê bawer nekir. Ji ber ku êvaran kesan bernadin. Li ser vê Samî ji hevalên xwe yên di odeyê de bûn got:

- Birano wele ev ne tahliye ango berdana min e. Tu kesê demên ber bi êvarî bernadin. Ez dibêjim wê min ji nû ve bibin êşkencê.

Lê hevalê wî bawer nekirin û gotin:

- Tu ţiştan zêde dikî, tu hatî berdan, ma dibe êdî dîsa te bibin êşkencê.

Werhasil heta leşker hat Samî xwe amade kir. Herdu bi hev re derketin. Rasterast çûn ba Esad Oktay. Dema wî çav li Samî ketin hêrs bû û got:

- Heger tu careke din werî vir wê çawa bibe?

- Ez ê hewl bidin neyêm, lê hatim jî dizanim ku êdî ez ê ji vir bi saxî dernekevim.

- Aferîm va ye tu jî yê dizanî. De here û careke din neyê vir.

Kaxezek îmze kir û ji leşker re got:

- Wî bibe.

Dema Samî derkevt nêrî ku seyara polîsên siyasî li ber derî ye. Ji Samî re gotin:

- Fermo.

Samî li wan nihêrî û got:

- Spas ma qey hûnê min bibin heta malê?

- Ka siwar be, bê hela çawa dibe?

Polîsan Samî li seyare xwe siwar kirin û berê wî ji nû ve dan Şûbê ango cihê lêdan û êşkenceyên nedîtî. Vê carê, belê vê carê dîsa bîst û pênc rojan li Samî êşkenceyên hovane kirin. Samî dîsa weke xwe kir. Tiştên polîsan dixwest negotin. Piştî bîst û pênc rojan ew şandin ba dadgêr û dadgêr dîsa ew berda.

Bi wê berdanê, Samî hilma xwe li ser çiyayên Kurdistanê, li Sûrî û dûre jî li welatê Skandinavya li Swêdê, berda.

2

Ewrên tarî girtibûn ser welatê Samî Kurdistanê û Diyarbekira şêrîn û delal. Dengê potînin leşkerên romê ji guhê xelkê wir û tevayiya Kurdistanê dernediket. Dengê gazî û hawarên ciwanên kurd her di wê zîndanê de bilind dibû. Tirkan dixwestin wan kesên di zîndanê de bûn, bikin tirkên baş û wan qehreman û mêrxwas û canikan jî dixwestin xwe biparêzin û kurdbûna xwe ji bîr nekin. Nekevin dafika dijmin.

Samî jî çend salekê li wê girtîgeha Amedê kir qêrîn û hawar. Lê kesekî dengê wî nedibihîst. Her hawar û qîrîneke wî bi cezayên çend jopên leşkeran dihat xelatkirin. Yên dengê wî dibihîstin tenê xwediyê wan jopên reş bûn. Ew jî ji bo ku hawara wî bidin sekinandin, dihatin bikaranîn. Samî çend salekan li wir raza. Lê tu kes bi qêrîn û hawara wî de neçû. Nikarîbûn biçûna. Lewma jî wî tenê dikir qêrîn û hawar heta ku hate berdan.

Çi dema navê girtîgê tê ser zimên tirs û xofek bi Samiyê me digire. Ditirse û dibêje qey hema wê polîs û leşker werin wî bigirin û dîsa li wê girtîgehê vegerînin. Yên ew der nedîtibin, nizanin û nikarin texmîn bikin ka li wir çi diqewime. Lewma wî bez û reva xwe li ser çiyayên Kurdistanê dît. Bi halekî nexweş, bi tenduristiyeke xerab xwe gihand hevalbendên xwe yên li serê çiyan ku dixwestin ji bo azadiya gelê xwe şerê man û nemanê bidin û her xebat û çalakî dikirin. Lê dema hevalên Samî di wî halê xerab de çav li wî ketin şaş man û jê re gotin:

- Ev çi halê te ye kekê Samî, ma tê bi vî halê xwe bikaribî çi bikî. Ji fêdê bêtir tê zerarê bigihijînî me û xwe. Heyran li mala xwe vegere.

Samî, dê tu caran ew gotinên wan yên ku ji bo wî bûn ji bîr neke û nekir jî. Wan texmîn dikir ku Samî jî weke wan hatiye serê çiyayên Kurdistanê da ku li gel wan li ba wan û bi wan re şerê azadiya gelê xwe bide. Wan hê nizanîbûn Samî ji ber tade, êşkencê, zor û zehmetiyên dîtibû, tenduristiya xwe winda kiriye. Ji bo ku baş bibe û hinekî vegere ser kemala xwe, hevalên wî yên li welêt ew şandibûn da ku ew heta Ewropayê here. Lê Samî bêyî ku vê rewşê ji hevalên xwe re bêje, ew jî li hevalên xwe nêrî, hinekî mizmizî û got:

- Belê rast e. Hal di min de nemaye ango nehiştine, lê ez hê jî li ser xwe me. Bi tecrubeyên xwe yên baş li gel we me da ku em bikaribin welatê xwe azad bikin.

Piştî Samî ji wê girtîgeha bi tade û zordariya xwe gelek navdar bû, tê berdan, fêm dike ku nikare li welatê xwe li cihê xebat û şoreşgeriya xwe bi rehetî bisekine. Dizane ku ew her tim di bin çavdariya polîsan de ye. Tenduristiya wî nebaş bû. Lewma ew ji vê yekê gelek aciz dibe. Tê digihêje, heger ew zêde li welêt yan jî li Tirkiyê bimîne dikare dîsa bê girtin. Dema vê difikirî gotina serpel Esad ku gotibû; “Heger tu careke din werî vir wê çi bibe” dihat bîra wî. Lewma têkiliyên xwe li gel hevalên xwe danîn, bi alîkarî û piştgiriya hevalên xwe, ew ber bi çiyayên Kurdistanê ve revî da ku şerê azadiya gelê xwe bike û dernekeve Ewropa. Lê ew nexweş bû û hevalên wî nehêlan ew zêde bimîne. Piştî demeke kurt ew şandin Sûriyê û ji wir jî bi saya pasaporteke sexte, ew ber bi Skandinavyayê de şandin û li wir bi cih bû.

Li welatê skandinavya li swêdê Samî lê bi cih û war

dibe, tenduristiya xwe baş dike. Hinek tê ser xwe ango baştir dibe. Lewre dixwaze vegere çiyayên welatê xwe û şerê azadiyê bike da ku welatê xwe ji bin destê dagirkeran xilas bike. Lê çi dike ew fersendê nabîne. Lewre hevalên wî yên partiyê jî yek li dû yekî welat diterikandin û ber bi Ewropa ve direviyan. Hemiyan xilasî bi çûyina ber bi welatekî Ewropa de didîtin. Ji ber tu şert û mercên ku êdî li welêt û li ser çiyayên Kurdistanê bimîne û şerê azadiya gelê xwe bide, nemabû...

Piştî demekê çiyayên Kurdistanê bêdeng dimîne. Şervanên azadiya gel yên daxwaza wan azadkirina her çar perçên Kurdistanê bûn, hemiyan berê xwe ber bi Ewropa ve kiribûn. Te digot belkî hemî bi hev re ketine leçê da ku kî bikaribe zûtirîn demê xwe bigihijîne wir. Lê fêm nedikirin wê mesela xwe ya neteweyî li Ewropa biqedînin. Bi rastî jî wiha bû. Xwe qedandin. Partî û rêxistinên, dikarîbûn şoreşekê bikin, belav kirin. Xelk bêhêvî, welat bêkes û piştgirî hiştin. Ev yek gelek bi zora Samî diçû. Lê wî nikarîbû tiştek bikira ango tu tiştek ji destên wî nedihat. Çawa di zîndanê de ji ber wan jopên leşkeran yên reş û bê aman dikir hawar û gazî, niha jî tiştên ji destê wî dihat keser û axîn bû û wî ew jî baş dikir.

Samî tê gihiştibû ku wan winda kirine û êdî nema dikarin heta demeke dirêj li welêt vegerin. Têgihiştibû tevgera wan têkçûye. Ew nerehet û aciz bû. Lewre êdî wî dizanîbû ew nema dikare li çiyayên Kurdistanê vegere. Ji ber vê bû her difikirî û diponijî ka wê karibe çi bike. Demekê li Ewropa xwest yekîtiyekê ji hevalbendên xwe yên berê pêk bîne û dîsa li welêt vegerin. Lê ew jî bi ser neket. Ji ber ku dema rehetî hate dîtin, kesek naxwaze xwe ji nû ve bavêje nava êgir. Lê ew her di halê xwe de, ji ber rewşa xerab diqirqirçi û xwe di nava êgir de didît. Xew lê herimî bû. Her xwe bi xwe digot: "divê em tiştekî dikin bikin, lê çi?".

Samî gelek aciz bû, welatê Skandinavya lê bûbû weke dojehê. Her şev di xewnên xwe de ew di şer de bû. Carna ji ber leşkeran, carna ji ber polîsan her direviya. Lê tu şevekê jî di xewnên xwe de nehat girtin. Lewma dema şiyar dibû, halan di xwede hildida û xwe bi xwe digot: "Ev bû serê çend salan, her leşker û polîs bera min didin lê min nagirin. Mane xwe ev tiştek e, keremetek tê de heye. Lê çi ye?"

Samî êdî xewnên xwe ji xwe re kiribûn destek û piştgirî. Her digot: "madem neyêm girtin, divê ez tiştekî bikim". Lê wî jî nizanibû ew ê çi bike?

Samî ji berê de ji xwendinê hez dikir. Dema di nava tevgerê de bû, bûbû weke hemalekî partiya xwe, dev ji xwendinê berdabû. Ji bo bi hêzkirin û xurtkirina partiya xwe her baz dida, ha li wir û ha li vir bû. Piştî baş fikirî ku divê ew tiştekî bike, ji xwendinê pêve tu tiştekî din neket bîra wî.

Fikr û ramanên wî hemî li ser vê yekê bûn ku dê ew çi bike? Ew ê çawa bikaribe wan xebatên wî, wan zehmetiyên wî dîtibûn, belaseb neçin, her li ser tiştekî difikirî, divê ew çi bike? Taliya talî dema hawara Celadet Bedirxan bi dest xist û xwend. Dît ku ew dibêje: "Me di şer de winda kir, lê divê em dîsa vala nesekinin û tiştekî bikin." Lewma jî wî gotibû "xwendin, zanîn û nivîs ji me re, ji miletê me re lazim e." Dema Samî ev rêz xwendibûn kêfa wî gelek hatibû û ji xwe re rêya xelasiyê dîtibû. Wî jî weke

Mîrê Kurdan Celaledet Bedirxan gotibû: "Rast e, divê em bixwînin û zana bibin." Piştî ew li Kovara Mîrê xwe HAWAR a wî bêtir kûr û hûr bû da ku baş tê bigêhêje û fêm bike ka ew çi dibêje û çi dixwaze, her ew dixwend...

Piştî qedandina Hawarê êdî Samî ji nû ve dest bi xwendinê kir. Her dixwend. Ji ber ku rêya xelasiya xwe di wê de didît. Weke tu êgir bi ser pirêzakê de bikî, ew agir çawa pirêzê dişewitîne, li Samî jî wiha hatibû. Dixwend, her dixwend û dixwest di nava vê xwendinê de rêyeke xweş û baş bibîne. Bibîne da ku bikaribe xwe û xebatên xwe biparêze û ji bo gelê xwe tiştekî bike.

Lê rojekê li xwe hay bû ku Mîrê wî gotibû divê em xwe ji nezaniyê xelas bikin, bixwînin û binivîsînin. Her wî gotibû; "ziman hebûn e" aha vê tesîreke mezin li Samî kiribû. Lewma jî hema biryar da û hêdî hêdî dest bi karê nivîsandina kurdî kir. Êdî karê Samî bûbû xwendin û nivîsandin. Her pirtûkek dixwend navaroka wê dinivîsî ka bê ew li ser çi bû. Car caran jî wî di rojên xwe de çi dîtiye, çi kiriye dinivîsî. Bi vî awayî kurdiya xwe xurt û zimanê xwe pak û delal kir.

Piştî zimanê xwe baş fêr bû, biryar da binivîsîne. Êdî Samî hêdî hêdî dest bi nivîsandinê kir. Nivîsên xwe berê nîşanî kesên ji xwe zanatir didan û dûv re diweşandin. Her nivîseke wî ya bi kurdî dihate weşandin, kêfa wî dihat û xwe bi xwe digot: "Belê mîrê min, va ye min jî wasiyeta te anî cih. Ez jî tê gihiştim, me di şer de wında kir, lewma min jî li ser şîreta te, dest bi karê nivîsandinê kir. Êdî ez jî nema dikarim herim serê çiyan. Ez ê binivîsînim û ez ê bidim dûv şopa mîrê xwe. Lewma jî ez soz didim te mîrê min, ez ê tenê bi kurdî binivîsînim, madem te nivîsîbû ku ziman hebûn e, ez ê jî vê hebûnê heta ji min bê biparêzim" got û biryara xwe jî pêk anî.

Samiyê me hêdî hêdî xwe kir nivîskar û çend berhem jî derxistin. Daxwaza Samî ew bû di berhemên wî de bêtir derd, êş û berxwedanên miletê wî, însanên wî hebe. Wî di berhemên xwe de dixwest li ser vê raweste. Û bi ya xwe jî kir.

Berhemên wî li Ewropa û li welatê wî belav bûn. Gelek pesindayin û pîrozname jê re hatin. Kêf kêfa wî bû. Wî êdî xwe weke kesekî di warê nivîsandina kurdî de, serkevtî didît. Lewma di dema kêfê de yekser dihat bîra wî, ew tu caran di xewnên xwe de nehatibû girtin, dibe ku sedem ev be. Lewma hêrsa wî bêtir radibû û dixwest bêtir binivîsîne. Di rojnameyan de nivîsand. Di kovarên kurdî de dinivîsand. Dinivîsî û her nivîsand.

Piştî azadiya welatê xwe yê azad ango başûrê Kurdistanê wî di gelek nivîsên xwe de ew der ji xwe re kir mijar. Ji bo piştgirî û xurtkirina wir nivîsî. Pêşniyar û têbiniyên xwe gotin. Piştî azadiyê bi salekê li welatê xwe bû mêvan. Êşa însanên xwe guhdarî kir, wêrankirina welatê xwe bi çavên xwe dît, dengê ciwanên bê bav bihîst. Lewma jî ew bêtir bi hêrs ket, ji ber ku zilma li gelê wî, li însanên wî hatibû kirin gelek aciz bûbû. Sozeke din da xwe ku ew van êşan heta ku bikaribe bîne zimên Samî soza xwe bi çend nivîsan anî cih. Lê wan têra wî nedikir. Roj bi roj li firsetan digeriya ku li welatê xwe bi cih bibe. Êdî mijarên berhemên wî bibin devera parçê welatê wî yê azad. Lê ew mecal bi dest nediket.

Samî her di nava agirê ku nikare li welatê xwe bi

cih bibe û wan berhemên ew dixwaze binivîsîne de, dişewîtî. Rehetiya wî li welatê Skandinavyayê tunebû. Her ew dişewîtî lê welatê wî ango parçê azad jî roj bi roj pêşve diçû. Li welatê wî yê azad gelek rêxistinên sivîl û dezgeh hatibûn damezirandin. Ji wan jî yek li Dihoka rengîn Yekitiya Nivîskarên Kurd bû. Lê vê carê ne Yekîtiya Nivîskarên Tirk, ecam an û yên ereb bûn, kurd dibûn endamên wan. Ev yekitî ya nivîskarên kurd bû. Vê yekîtiyê ji salê carekê konferans pêk dianîn da ku hemî dinya bi dengê nivîskarên kurd bihese, haydarî nivîsên wan bibe.

Di sala 2007'an de Yekîtiya Nivîskarên me yên Dihokê biryara konferanseke rewşenbîrî dabû. Ji bo vê konferansê Samî jî vexwandibûn. Ma Samî li çi digeriya! Bi kêfxweşiyeke mezin roja konferansê berê xwe ber bi welatê xwe yê azad û yekîtiya nivîskarên xwe ve kir. Lewre vê vexwandinê, kêfa Samî gelek anîbû. Ji ber vê kêfxweşiyê lê wiha hatibû, tu nemabû ew bifiriya. Lê bi rastî jî ew firiya û xwe li Dihoka rengîn danî.

Tam sê rojan ew beşdarî vê konferansa nivîskarên xwe bûbû. Li dora xwe dinêrî, didît hema hema hemî televizyonên welatên cîran û cîhanî li wir in. Ew jî behsa vê konferansê û nivîskarên kurd dikin. Ev dibû bersiva îspata kesên zimanê wî înkar dikirin û digotin: "zimanê kurdî tune ye" bû.

Samî sê rojên xweş, bi dîtin û nasîna gelek nivîskaran, gelek kêfxweş bûbû. Bi vê kêfxweşiyê li Hewlêrê jî çend rojekan bû mêvan û wî li wir Şêx Feryad Barzanî nasî. Dema wî û şêx hev nasîn bêtir û bêtir kêfa wî hat. Ji ber ku Şêx Feryad mirovekî zana, jêhatî û têgihiştî bû. Wî dizanîbû divê nivîskarên kurd li ser çi binivîsînin. Wî dixwest lê mecala wî tune bû. Ew jî weke Samî li ser êgir bû, da ku hin ji wan daxwazên wî bi cih bîne.

Du kesên weke li ser êgir di germaya Hewlêrê de hevdu nasîn. Şêx qîmet û rûmeteke mezin dida nivîskar û rewşenbîran. Lewma jî wî Samî bi taybetî li Kurdistana azad gerand, digerand. Her jê re digot;

"Samî, qurban divê nivîskarên me wan êş û birînên mirovên me tevan binivîsînin, nivîs di jiyana neteweyan de cihekî girîng digire." Her wî digot û Samî jî hem guhdarî dikir û hem jî hin tişt di deftera xwe ya biçûk de dinivîsîn. Samî bi vê yekê çend rojên xweş û delal bi Şêx Feryad re derbas kirin. Wextê vegera Samî hindik mabû dê vegeriya welatê xwe yê cihê sar û sermê.

Lê wî qet nedixwest. Daxwaza wî ew bû, Şêx Feryad jê re bibêje: "Samî, qurban, ka were welatê xwe û êdî li vir berhemên xwe li ser karesatên hatine serê gelê me binivîsîne" . Te digot belkî tiştên di serê Samî re derbas bûne, Şêx Feryad bihîstine. Lewma Şêx wiha ji nişka ve li Samî nêrî û got:

- Samî, qurban, tu bawer bike min zêde xizmeta te nekir. Niha tiştên ji destê min hatin ev bûn. Lê ez dixwazim pêşniyarekê ji bo te bînim.

Samî jî hema yek ne kir dudo te digot qey ew jî dizane wê Şêx çi bêje, hema bi lez got:

- Bêje şêxê min. Tê çi bêjî fermo!

- Belê qurban, (du gotinên Şêx Feryad ku tim ew bi kar dianîn hebûn, yek; Belê qurban ya dudan sûnda wî jî, Ez bi xwîna şehîdan dikim, bû) pêşniyar dikim tu were û li ser jiyana Enfalan romanekê binivîsîne.

Enfal di jiyana gelê kurd de, xaleke herî reş e. Lê heta niha tu kesan ev mijar weke roman nenivîsiye. Lewma ez pêşniyar dikim tu bi vî karî ve rabe. Ev xizmeteke pîroz e. Ji bo vê çi lazim be, ez amade me alîkariya te bikim.

Bi qedandina gotina Şêx, Samî ji nû de dikaribû ji kêfan bi ezmana biketa. Hingî kêfa wî hatibû nema dizanîbû wê ji Şêxê xwe re çi bêje. Lewma bi wecekî xweş, bi kelecaneke mezin û bi baweriyeke xurt, mizmizî û bersiva Şêx da û got:

- Belê şêxê min. Tu rast dibêjî. Ez bi xwe jî dixwazim karekî wiha bikim. Lê derfet û îmkanên min tune ne. Heger derfet ji bo min peyde bibe, ez jî soz didim ez ê welatê sermê berdim, werim di nava însanên xwe de bi cih bibim. Wan guhdarî bikim û li gor wê jî ez ê li ser pêşniyara te û li gor êşa malbatên Enfalan, hewl bidin Şano û romanekê binivîsînim.

Xuya bû kêfa şêx jî ji vê re hatibû lewma wî jî bi kêf got:

- Qurban çi lazim be, em amade ne wê pêk bînin.

- Şêxê min, ji bo vî karî xaniyek bo min lazim e da ku bikaribin karê xwe rehet bikim. Divê ez li devera Barzan bi cih bibim da ku bikaribin malbatên Enfalan guhdarî bikim û mesrefê xwarina min lazim e. Ji vê pê ve kar dimîne li ser min. Ez jî soz didim heta ji min bê ez ê berhemeke rastteqîn binivîsînim. Wan karesatên hatine serê malbatên Barzaniyan li gor forma Şano û romanê bînim zimên. Lê ez ê bi serkevin, bi sernekevim, ji niha de ne diyar e. Her nivîskarek ji bo ku bi serkeve dinivîsîne, ez ê jî wiha bikim lê...

Kêfa Şêx û Samî gelek ji hev re hatibû. Wan di nava xwe de biryar girtin ku Şano û romana Enfalê bê nivîsîn. Lewma Samî soz da here mal, amadehiyên xwe bike û were li devera Barzan bi cih bibe da ku di zûtirîn wextî dest bi karê xwe bike. Bi vî awayî şeveke xweş, delal û bi biryarek pîroz anîn heta destê sibê. Şêx bi kêfxweşî xatirê xwe xwest û gotina talî ji Samî re got:

- Samî, qurban, here û heta du mehên din divê tu werî. Dest bi karê xwe bike, ez hemî îmkanan bo te amade dikim. Bila ev karê pîroz ê ewil bibe qismetê te.

- Ser herdu çavan, Şêxê min. Me carekê bi hev re soz da. Êdî vegera min jî tune ye, got û bi ken axatina xwe wiha domand:

- Heger jinik min berde jî ez ê dîsa werim û vî karî bikim.

3

Samî çawa du meh li welatê Skandinavya qedandibû, wî bi xwe jî nezanî. Du meh li wir bûbûn weke du salan. Lê qedîya bû. Roja ew ê berbi welatê xwe bifire hatibû. Wî xatirê xwe ji malbatê xwest, li teqsiyekê siwar bû û berê xwe berbi balafirgehê vekir. Bagaja xwe teslîm kir, derbasî hundir bû. Li seate xwe nerî ku hê pêncî deqe wextê balafirê maye ku bifire û berê xwe berbi peytexta kurdistanê Hewlêra delal veke û Samî li wir dîne. Ji ber wî dixwest hema zû bi zû xwe bighêjîne cihê xwe û dest bi karê xwe ê pîroz bike. Armanca xwe ya li ser şîreta mîrê xwe pêk bîne. Binivîsîne û binivîsîne.

Samî berî roj hilê xwe gihind Hewlêrê. Bi bilindbûna rojê ya du bejnan ew li wê mala ku dê lê biba mêvan û ji wir jî wê biçûya devera Barzan bû. Şêx Feryad li ser karê xwe bû. Piştî qedandina kar hema ew yekser hat ba Samî û xêrhatina wî kir û got:

- Samî qurban, tu gelek bi xêr hatî, ser seran û ser çavan. Lê tu bawer bike heta tu nehatibû jî min bawer nedikir tu yê werî. Ji ber ku kesên bi salan li Ewropa dimînin, nikarin werin welatê xwe bi cih bibin û kar ji bo welatiyên xwe bikin. Min gelek dîtin nikaribûn ev yek pêk bianiyana. Hem ji ber malbata xwe û hem jî ji ber rehetiya canê xwe, nikarin werin li welatê xwe bi cih bibin.

- Şêxê min tu jî rast dibêjî. Wiha ye, her kesek li gor rewşa xwe, nerîn û dîtina xwe tevdigere. Hin hene ji ber malbat û zarokên xwe nikarin werin. Yanî zarokên wan bi wan şêrînin û nikarin terka wan bikin. Dibe bi heq jî bin. Lê ez hatim û divê karê xwe li gor wê pêşniyara te bikim. Gelo cihê ez ê herimê, li devera Barzan dê kîjan gund û war be?

- Belê Samî qurban, tu qet meraqan neke, tê li navçaya Bilê bi cih bibî. Ew der tam wê li gor daxwaza te be. Niha karê min hinekî heye. Lê roja înê ez ê te bi xwe re bibim wir, li wan bikim mêvan da ku xelkê wir, sentera çanda Bilê ya wir jî bi alîkariya te ve rabin. Ka tu jî heta roja înê westa xwe bigire.

Samî hinekî ji ber bêsebriya xwe aciz bûbû. Lewma xwe bi xwe got: ´Heta roja înê çima? Ma qey nedibû îzna xwe bigire.' Lê dûvre wî jî rewş fêm kir û xwe li benda roja înê hişt da ku here li cihê xwe bi cih û war bibe û dest bi karê xwe bike.

Roja Samî li bendê bû hatibû. Ew roj ji bo wî roja weke ji nû de ji dayîkê bibe, bû. Şêx Feryad bi seyara xwe hatibû mala ku Samî lê bû, dê ew bibira devera Barzan. Dema navê devera Barzan dihate bihîstin kêfa Samî dihat. Ji ber wî ew nav û serîhildanên başûr ku ji wir destpê kiribûn hemî bihîstibûn. Wî dizanîbû ew dever cihê serîhildan û berxwedana kurdan e. Tê gihiştibû, ku ew der ji bo kurdan, bi taybet ji bo Barzaniyan bûbû sîwan. Lewma jî hemî Barzaniyan xwe di bin wê de bi cih û war kiribûn. Dîsa Samî fêm kiribû ew dever cihê xwe parastin û li dij zilmê derketinê bû. Ji ber vê jî bicihbûna devera Barzan bêtir hêrsa wî ya xebatê bilind, kêfa wî zêde, bawriya wî geş û xweş dikir. Wî dixwest ev cihê ji bo kurdan pîroz bibe cihê bingeha xebata wî jî.

Hê Samî xwe ji nava wan xem û xeyalan azad nekiribû bi dengê Şêx hate ser hêşe xwe. Şêx:

- Samî qurban, ka eşyayên xwe têxe seyarê û em bi rêkevin. Ez ê te di cihekî gelek xweş re bibim heta cihê tê lê xebata xwe bikî.

- Bila ser çavan Şêxê min, Samî got. Rahişt cumpîtûra xwe, pirtûkên bi xwe re anîbûn û kincên xwe hilgirtin di seyarê de bi cih kirin û ew jî li kêleka Şêxê xwe rûnişt û axaftina xwe domand:

- Ez hazirim şêxê min. Hem hazirim hem jî gelek bi kêf im. Şansa min jî baş e. Ez ê li devera Barzan bi cih bibin. Ew devera me di xewnên xwe de didît. Ew devera hemî dijmênin gelê me jê acizin û bûn. Ew devera Seddam dixwest hilweşîne û kevir li ser kevir nehêle. De başo Şêxê min.

Şêx û Samî berê xwe dane devera Barzan û di ser çiyayê Sprîzî re xwe berdan jêr, ango devera Barzan. Lê dema seyara Şêx ber bi jor de hildikişiya û bi ser çiyê diket, nava Samî dikir gupegup. Wî digot hema niha wê seyare bikeve û heta jêr bigindire. Seyara Şêx bi çiyê de radipelikî. Bi vê yekê dema gihiştin serî, li hêleke devera Barzan çiya û dar xuya dikirin, lê hêla din jî beriya herîr û Hewlêrê xuya dikir. Şêx seyare kişand kêleka rê ya ji bo sekina seyaran hatibû çêkirin. Şêx got:

- Samî qurban, de ka peya bibe, hem ji xwe re li vê dîmanê xweş mêze bike û hem jî ez sedema çêkirina vê rêyê ji te re bêjim.

Samî şaş û mat bûbû li hember wan dîmenên xweş û delal. Wê gavê wî baş bawer kir bê ji bo vê Kurdistana şêrîn çi bihata kirin, çi qas cangorî bihatana dayîn jî hêja bû. Lewma xwe bi xwe got: ‘Divê ev dever nebe para dijmin. Çiqas xweş û delal e.

Çiqas şêrîn û rind e. Ma gelo ev xweşî û şêrînî li ku dera dinyê heye?' Samî xwe di nava xem û xeyalan de winda kiribû. Ji xwe, ji roja hatibû heta niha tim ew wiha winda dibû heta ku dengekî ew ji wan xem û xeyalan şiyar dikir. Vê carê dîsa ew bi dengê Şêxê xwe hate ser hişê xwe, Şêxî got:

- Binêr Samî qurban, Seddam ev rê ji bo bi tanq û topên xwe yên giran bigihîne devera Barzan çêkiriye. Ev rê tenê ji bo wê hatibû çêkirin. Lê niha em ji bo çûyîn û hatina deverê bi kar tînin. Dinya wiha ye. Carna çêkirinên ji bo xerabiyan dibe egera başiyan.

Samî dîsa şaş mabû û ji Şêx re got:

- Çima Şêxê min? Ma qey tu rêyên din tunebûn leşkerên wî xwe bigihandina wir?

- Belê hebûn, lê deme leşker ji hêla din ber bi Barzan ve dihatin, zilaman, hin pêşmêrgeyên carna dihatin gund, berê xwe didan vir direviyan û xwe xelas dikirin. Lewre wî dixwest bi çêkirina vê rêyê der dora Barzan bigire ji bo ku tu kesek nikaribe bireve.

Şêx û Samî qederekê bêdeng man. Ji xwe Samî hema dixwest tim wiha bêdeng be û tenê li wê deverê, xweşbûna wê, çemên di nava wê re derbas dibin binêre. Wî dixwest hema bi şev û roj li wir be. Wî bi çavên xwe Kurdistana azad, bi guhên xwe xişexişa daran û bi çavên xwe jî herikîna çemê di nava axa Barzan de diherikî, dinerî, guhdarî dikir. Wî dîsa xwe winda kiribû, tenê difkirî û li sedema çima Seddam ew qasî zor û zehmetî dabû vê deverê digeriya. Hê wî xwe ji nava wan xeyalana xelas nekiribû dîsa bi dengê Şêxê xwe hate ser hişê xwe, Şêx got:

- Binêre Samî qurban, eynen ev cihê niha ez û tu lê ne, Seddam jî di wextê xwe de li gel çend serleşker û zabitên xwe aha li vir sekinîbû. Seddam ji nava Barwan gavekê pêşve diçe û bi tiliya xwe devera Barzan nîşan dide û ji hevalbendên xwe, ji serleşker û generalên xwe re dibêje. "Binêrin cihê fen û fûtan, cihê xerabiyan, cihê zalim û dijminên me yên herî zor li wir e. Li wê derê ye. Ji ber vê ez dixwazim ew der bi erdê re bibe yek. Divê hûn kevir li ser kevir nehêlin. Ez vê rêyê ji bo têkbirina wir çêdikim".

- Wele Şêxê min diyar e ew bi rastî jî har bûbû. Yanî pêşmergeyên qehraman ew har kiribû, wî di ser çiyê re ev rê çêkiriye da ku bikaribe vê deverê têk bibe. Lê wî nikaribû. Ew têkçû û niha ev rêya ku ji bo xerabiyê hatibû çêkirin bûye rêya mirovantiyê, ya çûyîn û hatinê.

Piştî axaftin û sohbeteke xweş li ser çiyayê Sprîz, Şêx got:

- De Samî qurban ka em herin, xwe bigihînin cihê te. Cihê tê li xebatê bikî. Xebateke pîroz, wê hemî kurd pê kêfxweş bibin.

Li ser çiyayê Sprîz Samî gelek dever dîtin. Lê ji bo wî ew devera Seddam dixwest bi temamî rake, ew devera cihê serîhildanan, ew devera serokek û rêbazek derxistibû, wê niha lê biba mêvan.

"Erê felekê kî dizane ku wê çi çawa bibe! Bala xwe bidê, ev rêya ji ber heybeta Seddamê xwînxwar hatibû çêkirin. Yanî ev rê ji bo kurdan û bi taybetî Barzaniyan tune bike çêkiribû. Lê îro ew rê bûye cihê pêga kurdan. Bûye cihê çûyîn û hatina wan. Bi saya vê rêyê niştecihên deverê bi rehetî xwe digihînin Hewlêrê. Dinya wiha ye, kî çi çêdike, ji bo çi armancê çêdike û çawa tê bikaranîn!"

Samî careke din, berî ku li seyarê siwar bibe li dora xwe, li devera Barzan û li çi tiştê li ber çavên wî diket li hemiyan nerî. Te digot qey ew ê here û careke din neyê vir. Ma kê dizanîbû ev der wê bibe cihê şopa wî jî! Ma wî ji ku zanîbû êdî ew ê gelek caran di vê rêyê de here û were!

Şêx Feryad û Samî li seyarê siwar bûn. Samî kêfxweş û Şêx jî dilxweş bû. Şêx berê seyarê ber bi devera Barzan de vekir û hêdî hêdî ji çiyayê Sprîzî xwe bera xwarê dan. Qederekê di seyarê de wiha bêdeng man. Samî dîsa ketibû nava xem û xeyalan. Çi difirî, çi dihate bîra wî. Ji wî pêve kesekî nizanî bû. Hew dîna ku Samî dît, Şêx li ber çemekî ango şetekî mezin sekînî û got:

- Samî qurban, ji vê derê re dibêjin Rûbarê mezin. Ev pira ku ji hesin pêk hatiye, pira herî dirêj e ya niha li Kurdistanê ye. Ev berê tunebû. Piştî azadiyê Serok Barzanî ev da çêkirin ku xelkê deverê bi rehetî here û were.

Samî hê jî ji xeyalên xwe şiyar nebûbû. Wî vê carê li rûbarê mezin û ava diherikî dinêrî. Wî ew çem dişiband cemê Diclê lewma vê gavê jî wî xwe li ser çemê Diclê didît. Amed kete bîra wî. Rojên zindanê bi bîr anîn. Lê ji nişka ve li xwe hay bû weke ku dengek hatibû guhên wî, çavên xwe girtin û vekirin. Li Şêx nêrî û got:

- Şêxê min we tiştek got?

- Belê qurban, wele min got. Lê xuya ye tu niha ne li

vir bûyî. Şêx keniya û gotina xwe dûbare kir da Samî jî navê rûbarê mezin bizanibe. Û dîsa domand:

- Belê qurban ava vî rûbarî her dihereke. Zivistanan wiha har dibe tê bêjî wê niha ew ê bi xwe daxwaza Seddam pêk bîne. Avake pir, aveke bi coş, aveke bi xêr û bereket ji vî rûbarî tê. Ev ava jiyana vê deverê ye. De ka em bajon, va ye me xwe gihand Bilê da ku te bi berpirs û kesên wir bidim nasîn û tu jî rojekê berî rojekê dest bi karê xwe bikî.

- Belê wele Şêxê min wê gelek baş be bi cihbûna wir. Di nava vî xelkî de û bi wan re jiyan, nabe qismetê her kesî. Lê îro bi saya te ez hatim nava wan û ez ê heta demeke dirêj li vir bimînim. Kî dizane dibe ku êdî ez jî venegerim ha. Bi ken Samî got û li seyarê siwar bûn.

Şêx seyare hêdî hêdî di ser wê pira li gor pêşniyara Serok Barzanî hatibû çêkirinê derbasî nava erdê Bilê kir. Li herdu seriyê pirê jî pêşmerge hebûn. Wan jî li nasnameyên kesên dihat û diçûn dinerîn. Xêrhatin li wan dikir. Li serê pirê nobedar gazî Şêx kir da ku em bisekinin û li nasnameyên me binêrin. Lê pêşmergeyekî din Şêx nasî silaveke nîzamî da û got:

- Kerem bikin! Bi rêya xwe de herin. Şêx seyare ajot û derbas bûn, ketin nava bajarokê Bilê.

Piştî ketin nava Bilê Şêx berê seyarê ber bi avahiyek xweş vekir. Li hewşeke fireh li ber avahiya xaniyekî ji çend cure odeyan pêk dihat, sekinî. Dema Samî ji seyarê daket hema yekser lewheya ku li ser xanî bi awayekî xweş û pêkhatî hatibû danîn, bala wî kişand. Li ser lewhê nivîseke wiha hebû. “Sentera Çanda Bilê." Vê bêtir Samî şaş kiribû. Fikirî ku li vî gundî û ev Sentera çandê. Lewma çend caran serê xwe hejand. Tu nabe ev serîhejandina wî bala Şêx jî kişandibû. Lewma jî Şêx li Samî nêrî û got:

- Ka bêje qurban te çima serê xwe hejand!

Hê Samî bersiv nedabû, çend kesên ciwan ji hundir derketin û bi xêrhatina Samî û Şêx kirin. Ew vexwandin hundir. Dema wê derbas bana, Şêx sekînî û ji Samî re got:

- Samî qurban, fermo! Got û destê xwe yê rastê ber bi derî vekir. Lê Samî nedixwest ew berê derbas bibe. Wî jî îşaret kir û ji Şêx re got:

- Fermo Şêxê min. Hûn bidin pêşiyê.

- Na bi xwîna şehîdan sond dixwim, hûnê bidin pêşiyê.

Piştî wê sûndê Samî nema dikaribû tiştekî din bigota. Ew ketin hundir û ji hundir xênî jî derbasî odeyeke din bûn. Li wir dîsa Şêx, Samî da peşiyê û ew li dû ketin hundir. Bi ketina wan yekî bi simêl û bejindirêj, ji cihê xwe rabû hate pêşiya wan, xêrhatina wan kir û ew dane rûniştandin. Dûvre wî got:

- Şêxê min tu û mêvanê xwe gelek bi xêr û xweşî hatin. Nivîskarê we berê behs kiribû ev e?

- Erê wele qurban. Ev nivîskarekî mezin e. Welat û zarokên xwe hiştine ji bo romanekê li ser jiyana Enfaliyên me binivîsîne. Ev emanetê min ji bo we ye.

- Emenetê te yê me ye jî, hûn li ser serê me hatin. Emenetê te nivîskarê me ye. Nivîskar ji bo gel mezin in.

Dema wî axaftina xwe qedand. Vê carê Şêx li Samî nerî û got:

- Samî qurban, navê vî camêrî jî Faxir e. Ew bi xwe berpirsê vê Sentera tu şaş kiribû ye. Êdî karê min li vir diqede. Piştî çaya xwe vexwum ez ê vegerim Hewlêrê. Dema Şêx çaya xwe qedand, rabû ser xwe û xatirê xwe ji Samî û kesên wir hemiyan xwest. Li dû xwe Samî û Sentera Çanda Bilê hişt û berê xwe ber bi Hewlêrê vekir.

Karê Şêx qediyabû. Samî weke emanetekî bi nirx diyarî Sentera Çanda Bilê kiribû. Lewma camêrên wir jî texsîr nekirin. Faxir bi otêla wir re qise kir û ji Samî re odeyek veqetand û got:

- Mamoste Samî, min cih ji bo canabê te li otelê veqetand. Ka hela li wir bimîne. Westa xwe bigire. Dûvre em ê bibînin ka te li ku bi cih bikin.

- Belê gelek baş dibe. Wekî din jî hûn çawa çi baş dizanin û dibînin hema wiha bikin.

- Ha mamoste, tê li otêlê serê sibê xuriniya xwe bikî û bo firavînê û şîvê jî tê li ba me bî. Ango mêvanê mala min be.

- Ma wiha dibe, got Samî.

- Belê em ê demekê wiha bikin heta em çareyekê bo canabê we peyde dikin.

Bilê nahiye bû. Lê li wir 22 daîrên hukmî, lejna komelayetê, rêxiravê cemawerî, yana halo ya werdişî, yarîgeha Bilê, yarîgehe ser girtî. Lejna navçeya Bilê, Peymangeha mamosteyan, feristyarî (hemşîre). Nexweşxane, dibistan, otêl, pirtûkxaneyeke ji 3000 hezar pirtûk tê de hene, hebû. Yanî li qezeyekê çi heye li Bilê jî ew hebû. Lê tenê navê wê hê nahiye bû.

4

Berpirsê Sentera Çanda Bilê Faxir, Samî li otêlê bi cih dike. Ji bo ku bikaribe bi rehetî karê xwe jî bike di pirtûkxana li wir û xwediyê 3000 pirtûkan di yek avahiyî de bûn, odeyekê ji wî re amade dike. Ji bo wî ji interneta Radyoyê, xetekê heta odaya wî dibe da ku ew ji dinyê jî haydar be, bê çi diqewime. Bi vî awayî êdî Samî jî xwe li xebatê xweş dike da ku dest bi karê xwe bike.

Êdî hertişt ji bo Samî amede bû, ji bo ku ew jî dest bi karê xwe bike. Lê wî nizanibû kî yê ji wî re bibe alîkar. Hê ew wiha difikirî, rojekê Faxir bangî wî kir û got:

- Mamoste îro dawetek heye, gelo tê jî bixwazî em bi hev re herin.

- Belê belê çawa nayêm. Bi aweyekî ecele Samî got. Ji ber wî dixwest her tiştê ew lê bi cih û war bûye, fêr bibe, bibîne. Lewre di demeke kurt de xwe hazir kir. Derket derve dît ku Faxir li benda wî ye. Ew herdu li seyara Faxir siwar bûn û Faxir seyare ber bi cihê daweta li aliyê rûberê mezin î din bû, vekir. Piştî ew pira hesînî derbas kir, hema li hêla destê rastê û li qiraxa rûbarî, meydaneke rast û fireh hebû li wir dawet bû.

Hemî gundiyan dawetên xwe li wî cihî çêdikirin. Yanî ew der kiribûn cihê dawetan. Dema Faxir berê seyarê ber bi dawetê vekir, dengê muzîkeke xweş û bi kurdî dihat. Vî dengî çiqasî kêfa Samî anîbû.!- Lewma xwe bi xwe got: ‘Azadî çiqas xweş e. Mirov her tiştekî bi zimanê xwe dike.’ Piştî ji seyarê daketin, êdî bi meşê berê xwe ber bi cihê dawatê vekirin.

Samî di dema xwendevaniya xwe de, dibistana lê dixwend çend komên folkorê amade kirîbûn. Samî di folklora kurdî de yekî zana bû, xweş dilîst her wiha mamostê folklorê jî bû. Lewma wî gelek komên folklorê amade kiribûn. Lê di dema wî de her tiştek bi tirkî dihate kirin. Çihê kêfxweşiyê ye îro li welatê wî yê azad her tiştek bi kurdî bû. Vê hîsên mirov yên welatperwerî geş dikir, baweriya mirov xurt dikir. Dema wan jî xwe gihand nava qelabalixê her kesî xêrhatina wan kir. Samî û Faxir li derekê sekinîn û Samî hema li dawetê temaşe dikir. Wê gavê ji bo wî tiştê herî xweş ew dawet û temaşekirina wê bû. Dawet ji du milan ango ji du rêzan pêk dihat. Rêzeke ji jinan û ya din jî ji mêran bû. Lewma vê hinekî bala wî kişand û ji Faxir pirsî:

- Kek Faxir çima keç û xort, ango jin û mêr nakevin destên hev? Gelo ji ber mesela olî ye?

- Na, Mamoste ev adeteke Barzaniyan ya kevn e. Weke adetekê ye û tu eleqa wê bi olê re tune.

Samî wiha bi kêf û xweşî li dawetê û kesên di govendê de temaşe dikir. Li gor wî qora angon rêza jinan ji ya mêran xweştir dilîstin. Lîstika wan dilîstin Samî jî dizanî bû. Heger wî ji temenê xwe fedî nekiriba, ew ê jî biketa dawetê.

Li meydana dawetê qorek ji jinên hemiyan reş girêdabûn hebûn. Hemî jî bi temenê xwe mezin xuya dikirin. Kesek ji wan nediket dawetê. Aliyê din jî ji mêran pêk dihat û kesên bi temenê xwe mezin di nava wan de tune bûn. Vê jî gelek bala Samî kişandibû, gelo çima zilamekî bi temen di nav wan de tune ye? Di nava wan de yê herî bi temenê xwe mezin Faxir bû. Hê Samî li ser vê yekê difikirî vê ji

Faxir bipirse, kesekî ciwan, ne kin û ne jî dirêj, devli ken û mirûz xweş ber bi Faxir û Samî de hat, wî bi xêrhatina herduyan jî kir. Samî û Faxir jî bi xêrhatin lê kirin û Faxir ji wî re got:

- Hazim, got û destê xwe ber bi Samî vekir û axaftina xwe domand. Ev mamoste Samî ye ji bakurê Kurdistanê ye. Ew niha li Swêdê dijî û hatiye devera me da ku berhemekê li ser jiyana Enfaliyên me binivîsîne.

Dema Faxir wiha got, Hazim hema bi kêf û nehişt ew axaftina xwe biqedîne got:

- Ser serê min, gelek bi xêr hatiye mamoste. Ez ê her di xizmeta te de bim. Çi lazim be ez ê li gor derfetên xwe bikin.

- Gelek saxbî her bijî.

Vê carê jî Hazim li Faxir nêrî û got:

- Kek Faxir we cih daye mamoste. Ew niha li ku dimîne an jî wê li ku bimîne.

- Me li otelê cih jê re veqetandiye. Ew niha li wir bi cih bû. Lê divê hûn ciwanên me ji wî re bibin alîkar. Camêr ji Swêdê heta vir hatiye da ku berhemekê li ser jiyana Enfaliyên me binivîsîne.

Bi gotina Faxir ya dawî xuya bû kêfa Hazim gelek hatibû. Lewma wî bi kêf got.

- Mamoste çi lazim be ez her di xizmetê de me.

Bi vê yekê herseyan sohbet xweş kiribûn. Lewma ji nû de rewşa dawetê û kesên dilîstin, yên temaşe dikirin dîsa bala Samî kişandibû. Ji ber vê bû, Samî meraqa xwe di dilê xwe de nehişt û got:

- Kek Faxir! Min dixwest pirsekê bikim.

- Fermo mamoste.

- Niha bala xwe didim kesên li dawetê, di nava jinan de ji her temenî hema hema hene. Lê zilamên di dawetê de ne û yên temeşa dikin kesên bi temen mezin tune ne. Di nava wan de yên temen mezin ez û tu ne. Çima gelo?

Piştî vê pirsê Faxir keserek kişand, hinekî rawestiya kûr fikirî dûr lê da li Samî nêrî û got:

- Belê mamoste, dibe ev jî bibe mijara te. Kesên di temenê min de hemî jî hatine Enfalkirin. Lewma ev civata me ya niha ji nivşekî zilamên bi temen mezin bêpar in.

Dema Faxir wiha got. Samî yek ser tê gihişt, ew mirovekî zana û têgihiştî ye. Ji xwe ew berpirsê senterê jî bû. Lewma Samî lê vegerand û got:

- Baş e, gelo çima tu sax mayî? Yanî çima tu nehatiyî Enfalkirin?

Faxir hinekî mizmizî, li Samî nêrî û got.
- Belê wele tu jî rast dibêjî. Çima ez nebirime? Ev care ewil e ez rûbarî pirseke wiha dibim. Belê ji mamosteyê xwe re bêjim. Dema şoreşa 1975'an ya Barzaniyê nemir li gor peymana navbêra Îran û Iraqê de ango peymana Cezayirê de şoreş rawestiya, ji bo ku miletê me bi temamî qir û wêran nebe Barzaniyê nemir û hevalbendên xwe çûne Îranê. Wê demê rehmetiyê bavê min jî pêşmergeyekî Barzanî bû. Ew jî li gel nemir bû. Lewma em jî bi malbatî li Iranê bi cih bûn. Ji ber vê ye ez nehatime Enfalkirin.

- Ha, got Samî û serê xwe hejand. Êdî ew jî serwext bûbû ka çima Faxir nehatiye Enfalkirin. Samî axaftina xwe wiha domand. Gelo we li wir çi kir û çi demê li welatê xwe vegeriyan? We li wir çi zehmetî, neheqî û perîşanî dît?

- Me jî li wir gelek zor û zehmetî dît. Li gor wan zehmetiyan jî heta ji me dihat me dixwend. Ji ber ku serok Barzanî her digot: "Divê ciwanên me bixwînin û zana bibin." Bi rastî jî me gelek cefa û êş li wir kişandin.

- Kek Faxir hûn weke kesekî şahidê wê demê yê zindî ne. Ez bawer im ev bûyer jî di dîroka kurdan de xala asas û reş e. Gelo tu dikarî vê bêjî da ku nivşê nû jî vê bizanibe ka Piştî peymana Cezayirê û ji nû de koçkirina Barzaniyan ya çûyina Îranê.

- Ser çavan mamoste, heger ez jî bikaribin hin nêrîn û ditînên xwe ji we re bibim alîkar ez ê kêfxweş bibim.

Bawer bike mamosteyê hêja, tiştên me li wir dît û hatin serê me Barzaniyan zehmet e ku mirov hemiyan bêje û binivîsîne. Ji xwe qedera Barzaniyan tim bûye wêranî, koçberî, talanî û malxerabî.

Barzaniyan ji roja dest bi şoreşa ji bo azadiya gelê xwe kirin, tu rehetî nedîtin. Her kuştin, malwêranî û koçberî bûye para wan. Li gor Peymana Cezayirê û sekinandina şoreşê, Barzanî dîsa bûne du beş, du parçe. Wê demê hin li gel Barzanî çûne Îranê hin weke mufreze li ser çiyayên Kurdistanê belav bûn û man da ku dîsa şerê azadiya gelê xwe bikin.

Yanî mirov dikare bibêje şoreş bi temamî têkneçû.

Hem ji bo ku em weke malbatên Barzaniyan bi temamî têk neçin çûne Îranê û hem Barzanî hin mufreze li ser çiyayên Kurdistanê belav kirin ku dema wext hat ew dîsa şoreşa xwe berdewam bikin.

Lê tu ya rastî bixwazî me jî li Îranê gelek zor û zehmetî dîtin. Em li wir ne rehet û ne azad bûn. Lê dîsa jî li gor îmkanên ji bo me hatibûn diyarkirin, me xort û ciwanan li gor gotina Serok Barzanî dixwend da ku em jêhatî û bîrewir bibin.

Ew malbatên bi Nemir re çûbûn Îranê piştî azadiya welêt bi salekê em û yên din li welatê xwe vegeriyan. Ango di sala 1992'an de.

Hingî sohbeta navbera wan xweş bûbû herduyan hema hema hebûna Hazim ji bîr kiribû. Lewma Samî li xwe hay bû ku ew ciwanê xwînşêrîn tenê li wan guhdarî dike. Samî xwest hinekî berê sohbetê ber bi wî de jî veke û jê re got:

- Bibore me tu bi tenê hiştî.

- Na rica dikim. Ji xwe ez jî guhdarî dikim.

Di vê navberê de Faxir kete nava sohbetê û ji Samî re got:

- Mamoste, Hazim kurê Enfalê ye.Ji malbata wî jî gelek hatine Enfalkirin. Ew hem helbestvan û hem jî kadirekî hêja ye. Temenê wî biçûk e, lê aqilê wî mezin e. Ew dikare baş alîkariya te bike.

Piştî gotina Faxir xwîna Samî bêtir bi Hazim keliya. Dema Samî bala xwe da Hazim, dît ku bi sifatê xwe ew hinekî dişibiya kurê wî Serhad yê li dû xwe hiştibû û hatibû wir. Hema hema te digot belkî Hazim kopiyeke kurê Samî ye û li ber wî ye. Hem ji ber vê hem jî ji ber rewşenbiriya Hazim kêfa Samî gelek jê re hat. Lewma wî li Hazim nêrî û got:

-Hazim can, karê min zor û zehmet e. Divê hûn alîkariya min bikin da ku ez jî bikaribin wê karesata hatiye serê bav û bapîrên we, wê êş û elema gelê me û bi taybetî jî êşa jinên Barzaniyan ya ku piştî kes û karên xwe winda kirine bînim zimên.

- Ser serê min mamoste. Çi ji destê me bê em ê bikin.

Piştî sohbet û axaftinên navbera hersêyan û hinekî din li dawetê temaşekirin. Faxir li Samî nêrî û got:

- Mamoste em herin!

- Belê em herin wê baş be.

Herduyan xatirê xwe ji Hazim û xwediyê dawetê xwestin. Berî ji hev biqetin Hazim got:

- Mamoste ez ê sibê piştî nîvro werim ba te ka em ê bikaribin çawa ji te re bibin alîkar, qise bikin.

5

Hazim û Samî bi naskirina hevdu gelek kêfxweş bûbûn. Her wiha herdu li gor hev û li gor nêrîn û dîtinên xwe, ne ji hev dûr bûn. Hazim rewşenbîrekî têgihiştî, helbestvanekî demê bû. Di dema Enfalê de wî bavê xwe du mam, xal û sê mêrên metên xwe winda kiribûn. Dema bavê wî Enfal bûbû ew çar salî bû ye. Pîra wî, dayîk, sê bira û xwîşkek wî hebûn. Ji bilî Hazim yên din hemî di xaniyekî de diman.

Kekê Hazim ango birayê wî yê mezin Kazim ji bo ku kar bike û alîkariya malê bike dibistan nexwendibû. Lê Hazim û yên din çûbûn dibistanê. Hazim di daîreya dewleta kurdî ya bacê de bûbû karmend. Birayê wî Nazim jî her di wê daîreyê de karmendê nifûsê bû. Birayê wan ê biçûk jî bûbû mamosteyê werzîşê. Lê wî hem di Sentera Çanda Bilê de kar dikir û hem mamostetî dikir. Xwîşka çar biran Ferîda jî piştî temenê xwe yê mezin, yanî piştî salên xwe yên bîstî dest bi dibistanê kiribû. Wê jî her dixwest fêrî xwendin û nivîsandinê bibe.

Hazim mirovekî li ser soza xwe bû. Dema wî sozek bida ew pêk dianî. Lewma jî roja piştî wê daweta xweş, piştî nîvro ew hate ba Samî û got:

- Mamoste ez vê mehê her roj piştî nîvro betal im. Di vê demê de çi lazimiya te hebe ez her amade me.

Samî ji vê gotina Hazim a piştgirî û alîkariyê gelek kêfxweş bûbû. Lewre wî hema yekser û bi rûyekî xgeş ji Hazim re got:

- Hazim can, ez dixwazim li malên Enfeliyan bigerim. Wan bibînim, li gel wan qise bikim. Bibim şirîkê ken û giriya wan û bi wan re bijîm. Lewma karê te wê ew be, tê rojê ji bo hevdîtinan bi malbatên Enfaliyan re du-sê malan amade bikî. Em ê bi hev re herin malên wan û ez ê li gel wan qise bikim.

- Baş e, mamoste. Ez ê vê amade bikim. Heger tu hazir bî hema em dikarin ji sibê de dest bi gera xwe bikin.

- Belê her amade me û wê gelek baş jî bibe.

Roja piştî dawetê, dema Samî li cihê karê xwe û bi kelecana ka wê çawa dest bi karê xwe bike, wê çawa û bi çi rengî pirsan bike, difikirî. Wî dixwest berê here ser mezelên nemiran serokê neteweyî Mela Mistefa Barzanî û nemir Îdrîs Barzanî, da ku ji wan re bêje aha berhema xebatên we ev Kurdistana azad e, ya em îro lê dijîn. Divê em jî weke nivîskar û rewşenbîrên vî welatî, heta hatina vê qonaxê, tiştên we kirine, dîtine û pêk anîne, bêjin û binivîsînin.

Samî nema dizanîbû ka wê çawa heta ser mezelên nemiran here. Mezel ango qebrên wan, li gundê Barzan bûn. Ew der hinekî ji Bilê dûr bû. Ji ber vê divê mirov bi seyareyekê heta wê derê biçûya. Te digot belkî dengê wî çûbû Mubeşir û Hazim. Hê Samî difikirî ka dê çawa here heta ser mezelên nemiran, Hazim û Mubeşirê karê wî yê asasî di parastinê de dixebitî bû, lê wî di wextê xwe yê din de ango yê vala de jî alîkariya radyoya devera Barzan û dezgehê Herman dikir. Herdu hatin ba Samî, Mubeşir got:

- Silav mamoste.

-Ser çavan, bi xêr hatin.

Faxir temiya te da me ku em bi alîkariya te ve rabin. Heger tu bixwazî em ê berê te bibin ser mezelên nemiran. Piştre êdî çi lazimiya te hebe, ez û em hemî amade ne. Mamoste, bi qasî min fêm kir û Faxir ji min re got, tu hatiyî xebatê li ser karesata Enfala Barzaniyan bikî. Ez jî weke gelekan bi vê kêfxweş bûm ku rewşenbîrek ji bakurê Kurdistanê were û li ser vê karasatê lêkolîn bike û berheman binivîsîne. Madem wiha ye mamosteyê hêja, haziriya xwe bike em ê te bibin ser mezelê nemiran û wekî din çi alîkariya te hebe em hemî di xizmeta te de ne.

- Mala we ava be Mubeşir can. Bawer bike min jî ev yek gelek dixwest û difikirîm ku ez ê çawa herim ser mezelê nemiran.

Piştî hinek haziriyan Samî derket ew, Hazim û Mubeşir li seyarê siwar bûn. Mubeşir berê seyarê da gundê Barzan ku mezelê nemiran li wir bû, ajot. Mubeşir li nêzîkî mezelan seyare sekinand. Hersê ji seyarê daketin û ber bi mezelên nemiran de meşiyan. Li ser mezel Samî wiha got:

- Ya serokê mezin! Ya serokê kurdan ê neteweyî! Te gelek kar û xizmet ji gelê xwe re kiriye. Ev azadiya ku îro li başûrê Kurdistanê bi dest ketiye, berhema te û ya pêşmêrgeyên qehreman e.

Ez niha li vir di huzûra te û Îdrîsê cangorî de sond dixwim, heta ji min bê, heta ku bikaribim ez ê jî di xizmeta gelê xwe de bim. Ez ê wê xebat û cehdên te, wan kar û xebatên we ragihînim gelê xwe û cîhanê.

Heta bikaribin ez ê karesata Enfalê kar û xebatên ji bo azadiya gel hatine kirin binivîsînim. Soz be ji we re serokê min û gelê min. Ez ê bixwazim, wan binivîsînim û bidim zanîn bê we çi zehmetî di ber gelê xwe de dîtiye.

Samî piştî ku axaftina xwe qedand, spasî Mubeşir û Hazim kir û li cihê xwe ango li Bilê vegeriyan.

Wê rojê ber bi êvarî Hazim û Samî çûne du malên Enfaliyanan. Roja din jî li sisiyan û her wiha karê wan berdewam kir. Yanî êdî karê Samî ketibû ser rê. Her ku diçû xwîna Samî û Hazim bêtir bi hev dikeliya. Her ku ew li gel hev li malan digeriyan û bi hev re sohbet dikirin, Samî bêtir Hazim dinasî ku ew gelek jîr û jêhatiye. Bi qasî jîr û jêhatîbûna xwe ew mirovekî rewşenbîr û zana jî bû. Wan di demek kin de sînorê xerîbiyê ji nava xwe rakirin. Piştî gera çend rojan, rojekê dema Hazim hate ba Samî ku derkevin gerê, Hazim got:

- Mamoste em ê îro herin mala me. Tê li gel pîra min, dayîka min û xwîşka min Ferîda jî qise bikî û êvarî em ê li wir şîva xwe jî bixwin.

- Gelek spas Hazim can, bawerim wê gelek baş be. Hema em qedereke din derkevin.

Dem hatibû, Samî û Hazim berê xwe ber bi mala pîra wî de vekin. Ma wî yê ji ku zanîbûya pîra Hazim şahideke zindî ya wan bûyerên qirêj û gemarî ye. Ma wî yê ji ku zanîbûya ew pîra delal jiyana Barzaniyan wek ya xwe dizane. Ma wî yê ji ku zanîbûya pîra wî rûberî gelek êş û cefayan bûye. Û ya herî girîng ma wê Samî çawa zanîbûya pîra Hazim ne kurd e.

Lewma jî dema Hazim û Samî ber bi mala pîra

Hazim de diçûn heyecanekê Samî girtibû. Lê wî nizanîbû ew ji bo çi ye. Dilê wî dilezand lê nigên wî sist bûn. Samî sedema vê jî nizanîbû. Di destpêke de wî digot belkî ev mal jî weke malên berê çûbûnê ye. Lê ma wê ji ku zanîbûya xezîna serîhildan, berxwedanên Barzaniyan û bi taybet yên devera Barzan hemî jî ew pîra zana dizane. Ew bi xwe bûye şahidê gelekan. Ya herî girîntir jî pîrê bi eslê xwe rûs bû.

Piştî Hazim û Samî gihiştin mala pîrê, bi gavavêtina hundirê hewşê de yekser germiyekê Samî girt. Kêfek hate wî, xweşiyek bû para wî. Lê ev ji ber çi û ji bo çi bû wî nizanîbû. Dema ew derbasî hundir bûn. pîrê û bûka xwe yanî dayîka Hazim Safiya tenê li mal bûn. Piştî bi xêrhatin û vexwarina qedehek ava cemidî, Samî qelemê xwe girt destê xwe û ew deftera jiyan û bûyerên Enfaliyan tê de dihat nivîsandin vekir û dest bi pirsan kir. Yek li dû yekê dihat. Her pirsek dibû sedemê çend hêsirbarandina dayîka Hazim û pîra wî. Her guhdarîkirinek, di mejiyê Samî de dinyayek nû vedikir.

Di nava wî girî û bi biranîna Enfaliyan de, ji nû de di mala pîra Hazim de şîn geriya. Dayîka Hazim, Hazim û xwîşka wî Ferîda ya nû ji dibistanê hat û dît yên malê hemî digirîn ew jî rebenê şaş ma. Wê texmîn dikir tiştek qewimiye. Hema ew yekser li ber dayîka xwe rûnişt û hêsirên xwe jî teva yên wan kir û got.

- Dayê xêr e ev girî. Xêr e ev keder? Çi bûye dayê, dîsa çi qewimiye?

Dayîka wê lê nêrî ku wê rewş ber bi xerabûnê de here. Hema yekser got:

- Keça min a delal. Xwîşka çar biran. Tişt tune ye. Ev mamoste pirsa Enfaliyan ji me dike lewma me jî ew ji nû de bi bîr anîn û digirîn.

Piştî fêmkirina rewşê Ferîdayê çayek çêkir, lê berî ew çay bîne Hazim gazî wê kir û got:

- Ferîda bila çaya mamose bê şekir be. Ew dîşleme vedixwe ha.

Mesela dîşlema ango kirtleme çay vexwarina Samî ji ber vê bû. Li devera Barzan dema çay dianîn, niviyê qedehê tije şekir dikirin, li hev didan û dianîn. Ev jî ji bo Samî gelek şêrîn dihat. Lewma ji bo ku ji vî derdî xilas bibe, wî gotibû ez çay dîşmele vedixwim. Diçûn kîjan malê her Hazim ji xwediyê malê re digot: Bila çaya mamose bê şekir be. Ew dîşleme vedixwe.

Êdî hinekî hilma kesên li mal hatibû ber wan. Hazim jî hatibû. Ferîda û dayîka xwe derbasî hêla metbaxê bûbûn da ku ji mamoste Samî re xwerinekê çêbikin. Di vê navberê de Samî di nava pirsên ji pîrê dikir, dît ku şikil û şemala wê ne weke ya kurdan e. Fêm kir ku dirbê wê ne weke ya jina kurd û Barzaniyan e. Lewma Samî berê pirsên xwe guherî û got:

- Pîrê rengê te, şikil û şemala te ne weke jina kurd e.

Pîrê keniya û got.

- Belê rast e kurê min. Ez bi eslê xwe ne kurd im. Ez rûs im. Niha ez jî êdî kurd im. Du kurên min, li gel bavê xwe û sê zavayên min Enfalî ne. Bi keder got pîrê.

Piştî sohbetekê hin pirs û bersivan, Samî tê gihişt,

pîrê şahidê bûyerên qewimî ye. Tê gihişt ku pîrê gelek tiştan dizane. Lewma wî berê xwe ji nû de bi pîrê vekir û got:

- Pîrê tu jineke rûs î. Ji wir hatina te ya heta vir, niha tu bûye şahidê gelek tiştan. Wekî te jî got te gelek kesên xwe wenda kirine. Te bi zor û zehmetî zarokên xwe, neviyên xwe mezin kirine. Gelo em dikarin ji jiyana te dest bi karê xwe bikin? Li gor min piştî zanîna jiyana te, dikare gelek quncikên tarî mane bêne ronîkirin. Heger mecala te hebe û tu jî bixwazî em ji wir destpê bikin. Niha li ba te dîrokek bi gelek aliyê xwe neyê zanîn heye.

- Baş e kurê min tu çawa bixwazî ez ê weke te bikim. Ji xwe Hazim jî gelek behsa te ji min re kirîye. Te jî zarokên xwe ango biçûkên xwe bi tenê hiştine da ku tu jî bikaribî karekî ji bo gelê xwe bikî. Lewre em jî divê ji te re bibin alîkar. Heta ji destê min bê ez ê ji bo te, tiştên ez dizanim û bûme şahîd ez ê bêjim.

- Gelek spas û tême destê pîra xwe. Ez û Hazim em ê her roj piştî nîvro werin ba te, ez ê bipirsim û tê jî bi qasî ku tu zanî bersivê bidî. Bi vî awayî em ê dîrokeke ku veşartî maye derxin da gelê me jê sûd bigire. Em ê hema ji sibê de dest pê bikin.

"Ez dixwazim li vir êdî berê mijara xwe ya Enfalê bidim pîra weke rûpelek ji dîroka Barzaniyan e. Em bi hev re li wê guhdarî bikin. Têbinî û gotinên wê binivîsînim, wan ji bo gelê kurd û cîhanê bidim weşandin da ku em vê dîrokê bi devê pîra bi eslê xwe ne kurd e, bidin gotin û zanînê..

Bila êdî pîrê ji me re dîroka bi gelek aliyên xwe nayê

zanîn veke. Wan bûyerên qirêj, wan qewimandinên hovane bi devê pîrê em bighêjînin nivşê nû. Lewre jî gelek girîng e, divê ew dem tim bê jiyandin. Heta ew dem bi her aliyê xwe ve nayê zanîn wê tim aliyekî dîroka Barzaniyan kêm be û wê Enfala Seddam aniye serê gelê kurd û Barzaniyan jî di hin aliyan de weke bê xwestin neyê zanîn, lê bi saya pîrê em ê wê jî fêr bibin..

Ji bo ew bê zanîn û di qada navneteweyî de weke jenosîd bidin qebûl kirin, divê em bi herkesî û bi cihanê bidin zanîn ku ev jenosîd e. Ji bo zanîn û têgihiştina vê jî divê ew bûyer bê nivîsandin. Dema ev hat nivîsîn wê demê dê rastiya Enfelê û bûyera wê jî derkeve holê. Lewre jî divê em li şahidên zîndî bigerin wan bibînin û ji devê wan vê bûyera qirêj bigihînin nivşê nû.

De ka em dirêj nekin û guhdariya pirsên Samî û vegotina pîra xwe bikin. Em fêr bibin bê Enfal ji bo çi pêk hatiye".

6

Belê piştî Samî ji pîra delal soza ku ew ê her tiştê ew pê dizane jê re bêje girtibû, gelek kêfxweş bûbû. Êdê em ê jî fêr bibin bê ka pîrê kî ye? Çawa hatiye Kurdistanê? Ji bo çi mêr, kur û zavayên wê hatine Enfalkirin? Em ê bi vê yekê dîroka pîrê û ya Barzaniyan dema li Sovyeta berê bûn baş binasin û bizanin ka ew ji Rûsyayê heta Kurdistanê çawa hatiye. Ka wê bi çavên xwe çi dîtiye. Ka ew ê ji me re çi bêje da ku em jî vê bigihînin nivşê nû.

Hingî Samî li ser van yekan difikirî wê şevê çawa raza bû, wî bi xwe jî nema dizanîbû. Lewre kêfa wî li cih, dilê wî rehet bû ku êdî karê wî ketibû ser rêya xwe. Wî yê mijara pê ve rabûbû bi aweyekî rastî û li ser zarê şahideke zindî binivîsanda. Wê şevê heta destê sibê her fikirîbû. Samî ketibû nava ramanên kûr û dûr, lewma xew li wî herimî bû. Heta destê sibê wiha bi fikirandinê derbas kiribû. Hingî bê xew mabû êdî ew çawa di xew re çûbû nizanîbû. Bi kelecan û kêfa ku dê li pîra delal guhdarî bikira zû bi xwe hesiya bû.

Dema bi xwe hesiyabû roj qederê du bejnan bilind bûbû. Lewre xwest hinekî din razê. Lê kir û nekir xew êdî bi çavên wî neket. Ji ber ku îro wî û pîra delal, dê bi hev re rûpelek ji dîroka baş nedihat zanîn vekirina. Wan ê dîrokek bi gelek aliyên xwe hê di tariyê de maye veguhestana. Kelecana Samî ji ber vê bû.

Samî bi wê kelecan û kêfê xuriniya xwe kir, ber bi aliyê sentera cihê xebata wî jî li wir bû ve çû. Dema gihişt Senterê hê xebatkarên wê nehatibûn. Ji ber ku wext zû bû. Lewma elektirîk û înternata Samî jî girtîbûn. Wî elektirîk û înterneta xwe ji Radyoya Herman dengê devera Barzan digirt.

Vê Sentera Çanda Bilê radyoyek wê hebû. Radyoyê rojê heşt saetan zindî weşan dikir. Xelkê deverê ji bûyerên diqewîmin agahdar dikir û daxwazên wan pêk dianî. Her wiha vê senterê du kovar jî derdixistin. Yek ji wan ya zarokan bû û hemî wêneyên wê bi reng bûn. Ya bi navê Herman jî ji sê mehan carekê dihate weşandin. Gelek ciwanan li wir kar dikirin. Lewma jî Samî û hemî xebatkarên Senterê di demeke nêz de hevdu nasîn û têkiliyên germ di nava wan de pêk hat. Piraniya xebatkarên senterê keç û kurên Enfaliyan bûn. Heta Samî li gel wan jî qise kiribû.

Ji ber ku hê radyoyê dest bi weşanê nekiribû elektirîk jî tune bû. Lewma Samî di hundirê odeya xwe de çû û hat. Mirov dizanibû ku ew li benda tiştekî ye û ji ber wê jî bê sebir bû.

Dema ew di zîndana Diyarbekirê de bû û rojên hatina dîtina jin û kesên wî jî wiha bê sebir dibû. Heta navê wî bihata xwendin û biçûya cihê hevdîtinê ew her rûnedinişt. Karê wî dibû çûn û hatina hundir heta ku navê wî bihata xwendin û biçûya. Samî hinekî bê sebir bû. Nikarîbû bi sebir li benda wexta xwe ya jî tiştekî bi hilmeke fireh raweste.

Bi berdana elektirîkê û hatina înternetê Samî jî xwest li hin malperên kurdan û yên navnetewî binêre û fêr bibe bê îro çi li dinyê û li Kurdistanê qewimî ye. Lê hem li malperên kurdî dinêrî û hem jî dema wê here mala pîrê difikirî. Dîtina wî dît Şadiya ku her dahnê sibê ji Samî re çay dianî, çaya wî ya vê sibê danî ber wî û wê bi şûnde vegeriya lewma Samî spasiya wê kir û got:

-Spas Şadiya xan. Bi rastî tu zehmetiyê dibînî.

- Na mamoste, ez bi kêfxweşî çay tînim û her di xizmeta we de me. Ma ne hûn jî ber xizmeta miletê xwe, we zarokên xwe bi tenê hiştine û hûn jî bi tenê li vir in ji bo xizmetê bikin.

- Belê rast e, lê dîsa spasiya te dikim. Got Samî.

Şadiye xan jî karkereke Senterê bû, karê wê û Nêrgizê belavkirin û çêkirina çayê bû. Şadiya serê siban û piştî nivro jî Nêrgizê ev kar dikirin. Lewma jî serê siban Şadiye û piştî nivro jî Nergizê mamoste Samî bê çay nedihiştin.

Samiyê me li Bilê û devera Barzan êdî bûbû mamoste jî. Xelkê deverê bi vî navî bangî wî dikir. Ew jî bi navê xwe xweşhal bû. Ji ber ku mamoste xelkê perwerde dike û Samî jî dixwest bi karê xwe re karkerên wê senterê jî di hin waran de perwerde bike.

Dema Şadiyê çaya Samî danî ber wî û wî jî spasî wê kir. Hatina çayê ji Samî re bû mane ku xebata xwe neke. Ji ber wê niha nikaribû tiştekî bike. Ew her pîrê û tiştên wê yên ji wî re bigota difikirî. Piştî çaya dudan, dema saet hat derdora danzdan Samî amadehiya xwe kir û hêdî hêdî ber bi navçê ve çû. Samî firavîna xwe li navçê û êvaran jî ji xelkên wir yekî bangî wî bikira diçû xwarinê û heger kesekî bangî wî nekira ango ji bîr bikirana wê şevê bê şîv radiza. Lê te digot belkî xelkê deverê hevdu temî kiribûn ku Samî bê xwarin nehêlin.

Samî her roj saet di danzdan de ji cihê xebatê derdiket û ber bi ciyê xwarina nîvro de diçû. Ew her roj ji cihê karê xwe heta navçê peya diçû li gel pêşmêrgan xwarin dixwar. Çûyin û hatina wî hinekî dûr bû. Germ jî bû. Lê ew bi çûyin û hatinê û bi xwarina li gel pêşmergan, xwe jî weke pêşmêrgeyekî dizanî. Bi saya xwarina li navçê li gel pêşmêrgan û bi çûyîn hatinê êdî ew jî bûbû pêşmêrge. Bi vê jî gelek kêfxweş dibû. Ji ber ku pêşmêrge di jiyana kurdan de merteba herî bilind e. Ji ber vê germ û rêya wî ya dirêj êdî ne xema wî bû. Lewre wî xwe êdî pêşmerge dizanî. Lê ji xelkê wir kî bi seyare be û dema didîtin Samî bi meşê ber bi navçê dihare, yekser li ber wî disekînin û digot:

- Fermo mamoste ez te bibim. Wî çiqas digot na spas jî lê wan her bi seyarê ew dibirin heta navçê. Hûn ya rastî bixwazin ev bi xweşa Samî jî diçû. Ji ber ku gelek germ bû û peya rêya wî qederê bîst û pênc deqîqan bû. Di germeke har bi temenekî mezin û bi meşa bîst û pênc deqîqan jî zehmet bû.

Lê ji bilî pîrê tu tiştekî din nediket bîra wî. Ne ew li germê hay dibû, ne jî li çûyîn û hatina xwe. Dîsa dîtina wî dît vê carê jî Nêrgizê çaya wî danî ber û got:

- Fermo mamoste. Bi dengê Nêrgizê Samî li xwe hay bû û fêm kir ku dem baş derbas bûye, li saeta xwe nêrî û got:

- Spas Nêrgiz xan. Wele ne ji te û Şadiyê be ez ê li vir bê çay bimînim. Mala we herduyan ava be, hûn qet mîn ji bîr nakin.

Samî spasiya Nêrgizê kir. Çaya xwe vexwar û wiha

bê deng karê xwe rawestand da ku Hazim were û ew herin ba pîrê û dest bi karê xwe yê pîroz bikin.

Li Bilê adet bû, herkes piştî xwarina nîvro radiza. Tenê Samî nikaribû razê û fêr jî nebûbû. Weke hemî xelkê deverê Hazim jî radiza. Lê xuya bû wê rojê ew hinekî zêde razabû lewma di saeta xwe de nehat. Samî jî bê sebir bû. Wî dixwest hema zû bi zû ew û pîrê dest bi karê xwe bikin. Hinekî bi derengî jî be Hazim hat û dît ku Samî hazir e û li benda wî ye. Hazim got:

- Mamoste ez doza lêborînê dikim. Tu bawer bike, ev cara ewil e wiha di xewê de dimînim.

- Tişt nabe Hazim can. Tu hinekî dereng jî mayî xem nake.

- De baş e, heger tu hazir bî em dikarin herin?

Samî qet bersiv neda hema cumpîtora xwe girt, rahişt deftera xwe û got:

- Em derkevin, ez hazir im Hazim can.

Mesela deftera Samî û Şêx Dilêr jî wiha bû. Dema Samî li bilê bi cih û war bû, Şêx Feryad temiya wî li malbatê jî kiribû. Bêtirîn Barzaniyên ji wê malbatê bi navê şêx dihatin zanîn. Lewma rojekê Şêx Dilêr brayê Şêx Feryad yê li Bilê xeberê ji Samî re dişîne hem bi xêrhatina wî dike û hem dibêje gelo çi pêwîstiya wî heye, an ji bo karê wî çi jê re lazim be bila bêje.

Samî jî ji wî kesê ku hatibû ba wî re gotibû:

- Silavên Şêx Dilêr li ser serê min. Zêde tu pêwîstiyên min tune ne. Lê heger Şêx bikaribe çend defter û qeleman ji min re bişîne wê baş be.

Zilamê şêx şandibû ba Samî jî dema diçe ba şêx jê re dibêje:

- Mamoste gotiye gelek silavan li Şêx bike, heger bikaribe çend defteran ji bo min bişîne wê baş be. Dema vê gotinê dike şêx serê xwe dihejîne disekine û xwe bi xwe dibêje: "Ma gelo Samî wê çend defteran çi bike? Ev pereyekî zêde ye?" Lewma hinekî radiweste da ku Şêx Feryad agahdar bike. Lewma çend roj derbas dibe, rojekê Samî wî zilamê şêx şandibû ba wî dibîne û jê re dibêje:

- Bira ma ne şêx gotibû, çi ji Samî re lazim be em ê tedarîk bikin. Lê ka defterên min xwestibûn te neanî, çima gelo?

- Mamoste wele şêx got; du sê defter zêde ne. Meraq kir ku hûn çima ewqas defter dixwazin.

Dûv re Samî tê gihiştibû ku li başûrê Kurdistanê her defterek deh hezar dolar in. Dema wî gotibû du sê defter lazim in, şêx jî fêm kiribû ku Samî peran dixwaze. Piştî Samî, şêx û zilamê wî bi berxistibû ew defterên wê têde binivîsîne xwestiye. Piştî vê şêx jî meselê fêm dike ji Samî re çend defter û qeleman dişîne, silavên xwe jî dişîne û sedema defter derengketina wan jî ji ber wê şaş fêmkirinê bû, dibêje.

Samî bi îşareta destan berê Hazim derxist da ew deriyê xwe qifil bike û ber bi mala pîrê de herin.

Hûn ya rastî bixwazin li Bilê hema kesê tu car deriyê xwe qifil nedikir. Dema diçûn karekî, malekê an derekê, hema derî digirtin û derdiketin. Te digot belkî xelkê Bilê nizanin qifil çi ye.

Ji ber ku di destûr û rêbaza Barzanî de dizî tune bû. Ji ber vê jî li Bilê û gelek deverên din hema mirov dikare bêje deriyê wan nedihat qifilkirin û kesek jî ji bo diziyê nediket malên wan.

Lê Samî fêr bûbû dema derdiket divê deriyê xwe jî qifil bikira. Ji ber ku li bakurê Kurdistanê û li Swêdê jî deriyê kê vekirî bima, agir bi wan û mala wan diket.

7

Samî û Hazim ji hewşa pirtûkxanê derketin hêdî hêdî ber bi mala pîrê ve meşiyan. Dema di ber dikanan re derbas bûn Samî ji Hazim re got:

- Hazim can, nexeyîde lê ez dixwazim Zebeşekî bikirim. Tu jî dizanî ez ji zebeşan gelek hez dikim.

- Na mamoste wele nabe. Li malê heye.

Ji ber ku Samî Hazim baş nasîbû, dema wî ji tiştekî re bigota na, na bû. Lewma Samî jî êdî zêde israr nekir. Lê Hazim got:

- Mamoste germ e û mal jî hinekî dûr e. Ka em yekî nas bibînin bila me heta malê bi seyarê bibe.

- Tişt nabe Hazim can, ez êdî fêrî meşa germ ya havîna vir jî bûme. Ka em rêya xwe bidomînin.

Hê wan wiha bi hev re qise dikirin, peya ya jî bi seyarekê herin heta mal. Hema wê gavê Cebeliyê zavê pîrê û mêrê meta Hazim bi seyara xwe li ber wan sekînî û got:

- Xêr e, hûn çi dikin? Hazim got:

- Em ê herin mala pîrê, ka tu me bibe wir wê baş be.

Axaftinê zêde dom nekir, Samî û Hazim li seyarê siwar bûn û Cebeliyê zavê pîrê ku ew jî kurê Enfaliyekê bû. Bavê wî jî weke yê gelekan hatibû Enfalkirin, di dema Enfalê de ew neh salî bû, berê seyara xwe ber bi mala pîrê ve da.

Cebelî seyare li ber mala pîrê da sekinandin û got:

- Fermo. Samî û Hazim ji seyarê peya bûn. Samî spasiya Cebelî kir û got:

- Ma tu jî nayê?

- Na, hin karên min hene.

Bi vî awayî Cebelî ber bi karê xwe de çû. Samî û Hazim jî ber bi deriyê hewşa mala pîrê de meşiyan. Deriyê hewşê ji çend textan li ser wan jî ji tenekan pêk dihat. Derî qifil nedibû. Çawa Hazim destê xwe derî hate vekirin. Ketin hundir. Hewşeke mezin bû. Hewş bi daran û gulan hatibû xemilandin. Ji bo pîrê û kesên malê cihek ango dikek xweş hatibû çêkirin, dema sî dikete hewşê kesên malê li wir rûdiniştin.

Lê wê gavê hê pîrê derneketibû derve li hundir, xwe li ber şibaka li derve dinêrî, dirêj kiribû. Bûka wê Safiya jî qederê gavekê ji wê dûr, xwe dirêj kiribû. Havînan jiyana Bilê wiha derbas dibû. Germeke xeter hebû lewma kesê nedikaribû di wê germê de ji bilî razanê karekî din bikira. Ji ber vê bû, wê gavê pîrê û bûka xwe jî xwe dirêj kiribûn. Du bûkên Safiya dayîka Hazim jî xwe li odên xwe dirêj kiribûn. Keça wê Ferîda jî hê ji dibistana diçûyê nehatibû. Bi gazîkirina Hazim:

- Malê ma hûn çi dikin? Hûn hê razayî ne?

Bi vî dengê Hazim re hemî kesên li malê bi xwe hesiyabûn, pîrê û bûka xwe Safiya hema bi lez û bez rabûn û rûniştin, sila (simala) li serên xwe rast kirin. Dema Hazim û Samî ketin hundir dayîka Hazim yanî bûka pîrê Safiya rabû ser xwe û bi xêrhatin da kurê xwe Hazim û mêvanê wî Samî. Pîrê jî xwest rabe, lê Samî nehişt û wî hema zû bi zû xwe li hemberî pîrê da erdê.

Xaniyê pîrê ji sê ode û saloneke mezin pêkdihat. Xanî ji mircakan û ser wî jî ji axê bû. Yanî xaniyekî kevn û çend sal berê hatibû çêkirin ne diyar bû. Dîrekên xênî ji dûmana soba zivistanê û ji ber dûmana cixareyên neviyên pîrê zer bûbû. Ji bilî Hazim hemî di wî xaniyî de dijiyan. Lê ji ber ku Hazim weke karmendekî dewletê ya hukumeta kurdî kar dikir ew ji wan cihê bû û di xaniyê hukumetê de dima. Yên din hemî li gel hev bûn.

Pîrê jineke bejindirêj bû. Çavên wê qehweyî, porê wê hemî spî bûbû. Her çi qas qermiçên rûyê wê zêde jî bûn, lê dîsa di bin wan qermiçekan de rûyê pîrê yê xweş dihate dîtin. Dema pîrê qise dikir mirov nizanibû ku ew ne kurd e. Ji xwe girêdana wê jî weke ya herêmê bû. Lê wê her xwe kurd û Barzanî dizanibû.

Samî tam li hember pîrê rûniştibû û bi baldarî li pîrê mêze dikir. Mêze dikir ku ew niha weke kûpê dîrokê li ber wî bû. Samî berçavka xwe ya ji bo dûr dîtinê li ber çavên xwe derxist ya ji bo xwendinê danî ber çavên xwe, deftera xwe vekir, pênûsa xwe girt destê xwe yê rastê da ku dest bi pirsên xwe bike. Lê berî ku ew destpê bike, bûka wan Xunav li ser tepsiyekê sê qedehên avê anîn û dirêjî Samî kir.

Ji xwe Samî êdî li wir fêr bûbû çi dema ew diçû kîjan malê berî çay vexwin, axaftinê bikin, hema yekser av dihate ber wan. Lê bi rastî ew jî edetekî baş bû. Ji xwe di wê kelekela germê de heta mirov xwe digihand malekê devê mirov zûha dibû. Xuya bû, divê mirov berê avê vexwe dûre bikaribe dest bi karê xwe bike. Wan jî wisa kir. Ji ber ku Samî mêvanê malê bû, berê ew tepsiya ku qedehên avê li ser bûn, dirêjî wî kiribû. Wî û yên din ava xwe girtin lê Xunav hê jî tepsî di dest de li ber wan sekinîbû. Lewma Samî fêrî vê yekê jî bûbû, dema wan av vexdixwar divê qedeha vala dîsa danîna cihê wê, yanî ser tepsiyê. Samî got:

- Sipas Xunav xan.

- Spas xweş mamoste.

Piştî vexwarina avê Samî xwe hazir kiribû ku dest bi pirsên xwe bike. Tam wê dest bi karê xwe bikira, Ferîda ji bidistana xwe hat û xêrhatina Samî kir. Lewma Samî jî spasî wê kir û cihê xwe yê li hember pîrê xweş kir û got:

- Pîra delal, navê min Samî ye. Ez ji bakurê Kurdistanê me û li Swêdê dijîm. Ez hatime vê deverê ji bo wê karesata hatiye serê we, weke Şano û roman binivîsînim û pêşkêşî gelê xwe û cîhanê bikim. Lewma ez mal bi mal li malên Enfaliyan digerim û ez ê bigerim. Dixwazim li herkesî guhdarî bikim û bizanibin jiyana wan ya piştî Enfalkirina zilam, kur û mirovên wan çawa derbas bûye. Lê min bi ditîna te, bi nasîna te tiştekî nû dît ku dê di vî karê min de û di vê dîrokê de gelek girîng be. Tu niha şahideke zindî ya wê demê yî. Tu bi eslê xwe ne kurd î. Lewma min xwest ez ji pîra xwe pirsan bikim û bila pîra min jî tiştên dizane bêje da ku em wan tiştên di quncikên dîrokê de tarî mane derxin ronahiyê. Di vir de wê keda te gelek be. Tuyê ji nû de di wê dîrokê de bijî. Qasî min ji neviyê te Hazim bihîstî, tu li welatê xwe yeka xwenda û zana bûyî. Lewma jî tiştên tu jiya yî, te dîtine ji bo min yek bi yek bêje da ku ew winda nebin.

- Baş e, kurê min heta ji min bê ez ê hertiştê dizanim û bê bîra min ji bo te bêjim. Ew tiştên kurdan dîtine û jiyane, kêm milet jiyane. Ji ber vê ez ê jî bi kêfxweşî bi qasî zanîn û taqeta xwe bo te vebêjim.

- Belê pîra delal. Ez bi xwe jî baş dizanin, bi bîranîna dîrokê tuyê weke şexs hinekî biêşî. Lê ew êşandina te dê weke lampekê, tariyê ji bo vî gelê me û cîhanê ronî bike. Dizanim temenê te mezin e, tenduristiya te zêde nebaş e. Lê dîsa jî daxwaza min ew e, em bi hev re vî karî bikin. Çi dema tu westiyayî em ê navberê bidin xebata xwe.

- Baş e kurê min ser çavan. Hema tu çawa dixwazî bila wisa be.

Hê wan dest bi mijara xwe nekribû, vê carê jî kurê malê yê mezin Kazim kete hundir û xêrhatina Samî kir. Hal û hewalê hev pirsîn, di vê navberê de Casim û Nazim jî ji kar hatin malê. Samî ji ber hatina wan berê hinekî aciz bû ji ber wê nikaribû dest bi karê xwe bike. Lê ji aliyekî de jî kêfa wî hat ku yek bi yek kesên wê malê dinasîn. Lewma wî jî nêrî ku nikare kar bike. Qelema xwe ji nû de kire berîka gomlegê (kesmîs) xwe, deftera xwe girt û got:

- Pîrê wele xuya ye bi vê yekê em ê nikaribin îro tu karî bikin. Ez dinêrim ji her gavekê kesekî/ê ji yên malê tên. Maşallah mal tije bû. Gelo kes ma yan na? Bi vê gotina Samî, hemî bi hev re keniyan û pîrê got:

- Na kurê min hemî ev in. Kesên bên neman. Lê heger tu bixwazî dikarî pirsên xwe bikî.

- Na pîra delal na. Wiha çênabe. Bila îro jî bibe hevdu nasîna me. Ka em êdî ji xwe re sohbetê bikin. Kesên malê baş binasim. Sibê ez ê berî vê demê werim da ku ez û tu bi tenê rûnên û karê xwe bikin.

Bi vê yekê sohbeta malê, ken û henekên wan domand heta ku şîv hazir bûbû. Samî jî gelek kêxweş bûbû ji bo ku maleke wiha li vî cihê xeribiyê nasîbû. Xwîna wî jî keliyabû ser wan. Ji xwe navê dayîka Hazim û pîra Samî yek bûn. Vê bêtir nêzikayî nava wan dikir. Ji ber ku Samî gelek ji pîra xwe Safiya hez dikir. Xuya ye tesadufek bû ji vê malê navê du kesên weke yên malbata Samî hebûn. Navê keça Hazim Dîmen û navê keça birayê Samî Zekî jî Dîmen bûn. Hazim bi şikil û şemala xwe dişibiya kurê Samî Serhad. Gelek caran dema Samî, Hazim didît bêhna wî derdiket. Weke ku Serhadê xwe bibîne.

Samî û pîrê wê rojê karê xwe nekirin. Ew roj hemî bi nasîn û sohbetê derbas bû. Her wiha wê êvarê mala pîra Hazim xwarineke xweş ji Samî re çêkiribûn. Kêfa Samî jî li cih bû, wê êvarê wî xwarinek xweş ya malê xwaribû. Êdî dema rabûnê hatibû, Samî hinekî xwe tev da û got:

- Bi destûra we êdî ez ê rabin, dereng e. Hûn jî ji xwe re razên, got û li pîra xwe ya delal nerî û axaftina xwe domand: Pîrê ez ê sibê piştî nîvro tenê bêm. Êdî min mal û kesên di malê de jî nasîn. Hewce nake Hazim her roj li gel min bê. De şeva we bimîne xweş, got û rabû. Dema ew rabû hemû kufletê malê jî bi wî re rabûn. Dema ji derî derbasî hewşê bû nêrî Nazim jî sola (pêlav) xwe dike pê. Samî bi meraq jê pirsî tê bi ku de herî Nazim?

- Mamoste ma dibe tu bi tena serê xwe vê şevê heta cihê razanê herî. Ez ê te bi seyarê bigihînim heta cihê te. Her çiqasî Samî got na jî, lê Nazim haziriya xwe kir û gazî jina xwe kir û got:

- Wa Hunav hela ka mifteya seyarê ji min re bîne. Min ew li ber neynikê bi darde kiriye.

Samî û Hazim, berî Nazim li seyarê siwar bûn. Dema hevsera Nazim mifte direjî wî kir, wî mifteya xwe girt û li seyarê siwar bû. Nazim berê Samî li cihê ew lê dima yanî li fermangeha Rewşenbîrî danî û ber bi mala Hazim de çûn.

Ji bo xebat û çalakiyên ciwanan baştir û bi hêztir bibin, bi navê Fermangeha Rewşenbîrî ya Barzan avahiyeke nû li Bilê hatibû vekirin. Bi roj çend keç û xortan li wir kar dikirin. Lê bi şev jî ew der vala bû. Lewma li ser pêşniyara Samî ew jî li wir bi cih bûbû. Ew der bi roj ji karkerên Fermangehê û bi şev jî ji Samî re bû. Ji ber ku hundir germ bû li bo Samî ranzayeke hesinî li ser wê hatibû bi cih kirin. Doşek û beteniyek jî Faxir ji bo Samî anîbûn. Ser nivînên wî jî cîbiling (kule) danî bûn.

Şeva ewil dema Samî raza tenê kule bi xwe werkir ji bo pêçî dev li canê wî nekin. Lê rebenê Samiyê bîst û çar salan li Ewropa mabû, wê ji ku zanibûya mirov çawa wê kulê bi kar bîne. Êvarî ji ber pêvedana pêçiyan ew heta destê sibê raneza. Dema sibê bi xwe hesiya ser çavê wî hemî bûne birînên cihê devên pêçiyan.

Samî çend şevekê bi vî halî raza, lê nêrî nabe, rojekê çû Senterê û got:

- Wele van pêçiyan ez xwarim ka ez çi bikim?

Raziyê henekçî, kêfxweş û dilovan, hema ji cihê xwe rabû û got:

- Mamoste tu mêvan î. Lewma pêçiyên me bi xêr

hatine te dikin, divê tu aciz nebî, got bi henekî.

- Bra ma çi aciz nebim , wele hew dikarim îdare bikim.

Semîr ji cihê xwe rabû û got:

- Mamoste te kule heye?

- Belê heye lê dîsa îdara min ji ber van pêçiyan tune ye. Ez bi şev nema dikarim razêm.

- Ma te ew girêdaye?

- Girêdana çi Semîr?

- Lê tu wê çawa bi kar tînî?

- Dema radizêm hema wê davêm ser xwe, li ba me wiha dikin.

- Na mamoste nabe, divê tu wê di ser ranzeya xwe re girêbidî.

- Çawa ez nizanim?

- De ka bila kar biqede ez ê werim ji te re girê bidim û em ê dûv re bi hev re herin mal xwarinekê bixwin. Hinekî jî ji xwe re sohbet bikin.

Ber bi êvarî Semîr deng li Samî kir û got:

- Mamoste ka em herin kula te girê bidin. Pişt re jî em ê herin malê.

Bi vê gotina Semîr, kêfa Samî jî hat. Hem wê kula wî bihata girêdan hem jî wê êvarî biçûna mala Semîr da ku ji xwe re hinek sohbetê bikin.

Ji xwe heta Samî li Bilê bû, Hazim bi her awayekî jê

re dibû alîkar. Samî û malbata Hazim bûbûn weke yek malbatê. Bi kêmanî Hazim heftê du, sê caran Samî dibir mala xwe, carna jî herdu li mala pîrê dibûn mêvan. Her wiha Hazim di warê nêrîn û dîtinên siyasî û mirovantiyê de jî bi alîkariya Samî ve radibû.

Rojekê Samî gelek nexweş ketibû. Ya rastî bi zikêşê ketibû. Halê wî gelek xerab bû. Nikaribû kar jî bikira. Hema wî xwe ji serê sibê de li ser palgeha li oda wî de bû dirêj kiribû. Her ku diçû can lê giran dibû, wec lê diqelibî. Ketibû halekî gelek nexweş. Agirê wî zêde, canê wî giran, germeya wî hêdî hêdî bilind dibû. Hal tê de nemabû. Nizanibû ku wê çi bikira. Dema xwe li ser palgehê dirêj kir, çavên wî ber bi şibakê ket. Di şibakê re li derve nêrî. Bi wê nêrînê dengê însanan kete guhên wî.

Bi bihîstina wan dengen Samî kete nava xeyalên bê binî. Zikê wî bi halê wî şewîtî. Nexweş ketibû, kesekî lê mêze bikira tune bû. Lewma mala wî, jina wî, zarokên wî ketin bîra wî. Bi vê bîranînê çavên wî çûne ser hev û hema wî yekser xwe li mal dît. Dît ku ew nerehet e. Jina wî Zuleyhanê ji wî re nivîn daniye. Samî xwe li ser nivînan dirêj kiriye. Zuleyhana wî li dorê diçe û tê û jê re dibêje:

- Samî xuya ye tu nerehet î. Va ye agirê te jî çêbû ye. Ka hela vê hebê bixwe. Samî heba xwe dixwe û spasiya jina xwe dike. Jinika reben ditirse tiştek bi zilamê wê bê, lewma dîsa dibêje:

- Samî ka dilê te diçe çi? Niha tu birçî yî? Ez ji te re çi çêbikin an jî ka bêje tiştekî tu dixwazî hebe, ez ji te re bînim.

- Wele niha dilê min naçe tu tiştekî. Tenê dixwazim hema tu li hinda min bî. Destê xwe yê rastê bi ser eniya min, bi yê çepê jî destên min bigre. Dibêje û jina wî jî weke wî dike. Di vê navberê de hinekî kêfa Samî tê û xwe bi xwe dibêje; ´dema mirov nexweş dikeve û hin bi taybet jî dema jina mirov li ba mirov be çiqas xweş e.´ Dibêje û zarokên wî dikevin bîra wî, li jina xwe dinêre û axaftina xwe dewam dike.

- Ka ma zarok li ku ne? Ez dixwazim ew jî bêne ber serê min.

- Dilba li dibistanê û David jî li zarokxanêye û li seate xwe dinêre û dibêje; dema anîna wan e. Lewma ew li mêrê xwe dinêre; ka tu hinekî xwe ragire, ez ê herim wan bînim.

- De baş e here, wele min gelek bêriya wan kiriye.

Jina wî Zuleyhan derdikeve û Samî di wî halê nexweş de bi tena serê xwe dimîne. Di wê tenêbûnê de dikeve nava xem û xeyalên nexweş. Mirin dikeve bîra wî, bê kesitî û tenêtî tê bîrê. Lewma ew bawer dike, heta jin û zarokên wî werin ew ê koça xwe bike. Hesirên wî digindirin ser gepên wî. Bi wê giriyê ango bi wan hêsirên xwe, li xwe hay dibe, ew li ser palgeha li odaya wî ya xebatê hatiye danîn dirêjkirî ye. Lewma hêrsa wî rabû, xwest bi deng û qêrîn bigirî lê li oda kêleka wî kesên li kitabxanê kar dikirin hebûn.

Ji ber vê bû tenê bi dizî ango bêdeng têra xwe, bi halê xwe giriya û xwe bi xwe got: 'Ev bû demek dirêj ez li vir bi tena xwe me.' Ji ber wê tenêbûnê, têra xwe giriya. Piştî wê giriyê, hêsirên çavên xwe paqij kirin û dîsa xwe bi xwe got: 'Belê niha ez tenêbûnê dikşînim. Ji malbata xwe dûr im. Min zarokên xwe zûde nedîtine. Ev zehmetî ne.

Lê ma tu nizanî Barzaniyê nemir heta koça xwe ya dawî jî ew tim wiha bû. Wî jî jiyana xwe ya şexsî tu tiştek fêm nekir, tamek ji jiyana taybet nekir. Lê wî taliya talî ji bo gelê xwe welatekî azad hişt. Ev welatê azad li gor rêbaza wî gîhişt azadiyê. Samî, divê tu jî xwe aciz nekÎ. Heger tu niha tenê yî ev ji bo ku tu jî xizmetekê ji welatê xwe yê azadkirî re bikî li vir î. Heger zikekî te têr yek birçî jî be, xem nîn e. Ji ber ku tu li welatê xwe bi azadî dijî. Lê pêşmergeyên qehreman û Barzaniyê nemir ew jî nedidîtin. Bi van halanana wî dixwest, morala xwe xerab neke, hêviya xwe ya xebatê xurtir bike. Ji ber ku tim ji xwe re digot: ´Şerê herî mezin yê qelemê ye ya piştî azadiyê dibê bê kirin. Ez jî niha vî şerî didim. Heger ez tûşî hin zehmetiyan jî bibim xem nake' got hê axaftina xwe temam nekiribû, telefona wî lê da rahiştê û got:

- Belê, fermo. Xuya ye dengê ji hember dihat dengekî nas û nêzîkê Samî bû lewma bi wî dengî kêfa wî hat û bersiva wî da û got:

- Wele Hazim can halê min tune ye. Ez ji serê sibê de dirêjkirî me. Agirê min heye û nikarim karekî bikim.

Samî hinekî guhdarî kir got:

- De bi xêr were.

Piştî demeke kin Hazim hat dît ku Samî xwe li ser palgehê dirêj kiriye, agirê wî heye û madê wî jî nexweş e. Dema Hazim kete hundir Samî xwe bi zorê rakir, bi xêrhatina wî kir. Lewma Hazim got:

- Mamoste ka ez te bibin nexweşxanê, bila doktor li te mêze bike.

- Na Hazim can na. Ez nexweşiya xwe dizanim ka çi ye.

- Nabe mamoste wele divê ez te bibin nexweşxanê.

Yek ji Hazim û yek jî Samî di berhev de dan, dûre Samî Hazim bi ber xist ku nexweşiya wî ne ew qasî zor û zehmet e. Jê re got:

- Ez dermanê xwe dizanim û bi zikêşê ketime. Em herin mal nava zarokên te hinekî bi wan re bilîzim ez ê baş bibin. Dermanê min ew û kartol in. Tu hin kartol bikire bila Emîra ji min re bikelîne, ez ê du rojan tenê wan bixwim, tê jî bibîne wê tiştekî min nemîne.

Emîra jina Hazim neviya rûsan bû. Dema pêşmêrgeyên Barzanî li Rûsyayê bûn, gelek ji wan zewicî bûn. Jineke rûsî ew jî bi pêşmêrgeyekî re zewicî bû. Pêşmêrge dibe mêrê wê yê duyem. Jinika rûs berê carekê bi zilamekî rûsî re zewicî bû, kurekî wê ji mêrê wê yê rûsî hebû.

Dema Barzanî li gel pêşmêrgeyên xwe li welatê xwe vedigerin, ew jin jî li gel kurê xwe yê şeş salî ku bavê wî rûs bû, li gel mêrê xwe yê pêşmêrge têne Kurdistanê û navê wî dikin Hesen, Dema Seddam emrê girtin û birina zilamên Barzaniyan ya Enfalê dide, leşker wî jî digirin. Dema tînin ba serbaz û serbaz jê dipirse, tu kî yî, ji kîjan welatî yî, esil û fesilê te çi ye? Ew jî dibêje; ez bi eslê xwe rûs im, bavê min rûs e, lê dema dayîka min li gel mêrê xwe yê pêşmêrge hate vir, ez jî li gel xwe anîm.

Dema wiha dibêje serbaz pihîne kê lê dide û dibêje:

- Here biceheme, tu ne Barzaniyî lewma em te nabin.

Ew bi tenê weke bi salan li kampê dimîne. Zilamên di temên wî de û yên ji wî biçûktir tev dibin qurbana Enfalê. Dûv re ew jî bi jineke kurd û ya Barzaniyan re dizewice, çend zarok jê re çêdibin, yek ji wan keça wî ya bi navê Emîra ye. Carna tê gotin; xwîn, xwînê dikşîne. Pîrê jî wê keça bi eslê xwe yê ji aliyê bavê de rûs e ji kurê xwe ango ji neviyê xwe Hazim re tîne.

Bi rastî jî wiha bû û piştî du rojan Hazim jî bawer kir, Samî xwe bi xwe dermanê xwe jî dizane. Lewma ew jî kêfxweş bû. Êdî wî bêtir Samî dibir mala xwe, mala pîra xwe da ku ew zêde aciz nebe.Tenêbûn û ji mala xwe dûrbûn gelek zehmet e, xwe bi xwe digot Samî. Lê ji bo karekî pîroz divê ew van zehmetiyan jî bibîne, bikşîne da ku di karê xwe de bi serketî be.

Samî gelek kêfxweş bû ji ber ku bi karekî wiha ve rabû bû. Lê gelek zor û zehmetiyên wî jî hebûn. Ew bi xwe jî li devera Barzan tûşî gelek zehmetiyan bûbû. Lê wî ew zehmetiyên xwe hemî bi gotinên xweş û bi awayekî devliken derbas dikirin.

Semîr dema kula wî girê da, Samî nû fêr bû, divê mirov wê çawa girê bide. Ma rebeno wê ji ku bizaniya! Dema Semîr karê xwe qedand, li Samî nêrî û bi ken got:

- Mamoste divê mirov vê kulê wiha girê bide û dema tu razayî tê serê kuleya xwe bixî bin doşekê da ku pêçî nikaribin xwe bigihînin te. Tê îşev xweş razê.

- De ka em binêrin heger ez xweş razam, ez ê sipasî te dikim. Herdu bi hev re keniyan û Semîr domand.

- De ka êdî em herin mal. Piştre were îşev têr rakev e. Dema Semîr behsa têr razanê kir, kêfa Samî hat lê bawer nedikir ev rastî be. Ji ber ev serê çend rojan bû pêçiyan ew xwaribû. Li ser çavên wî şûna devê pêçiyan dixuya. Her carekê Samî dereke xwe dixurand. Rehetiya wî tune bû. Destên wî carna li ser rûyê wî, carna li milê wî, carna li lingê wî bûn, her dixurand.

Ji ber vê yekê gelek aciz dibû û xwe bi xwe digot: 'Lawo Samî ma ev kar bi te ketibû. Ma ji te pêve tu kesê bi karekî wiha ve rebe tune bû. Li mala xwe li Ewropaya xwe vegere. Ne tu yê tenê bimînî ne jî wê pêçî te bixwin', digot lê dîsa wî xwe bi xwe bersiva xwe dide: 'Belê rast e, lê heger mirov zehmetiyê di ber miletê xwe de nebîne, ma ev milet wê çawa azad bibe! Heger azad jî bibe ma wê çawa bi pêş ve here. Ma ne Barzaniyê nemir her li ser çiyan bû. Ma wî temenê xwe di nava pêçî û maran de derbas nekiribû.

Gelo wan pêşmergeyên qehraman çawa bi salan li ser çiyan diman! Ma ne ew ji bo azadiya welatê xwe, ew qas tehamula zor û zehmetiyan dikirin' Mal nexerab, ma niha çi bi halê te ketiye. Tu rojê carekê diçî nav pêşmêrgeyên qehraman tu bi wan re xwarinê dixwî. Carna li mala Hazim û carna jî hinên din te vedixwînin malên xwe. Odeyeke te ya xebatê û interneta te jî heye. Tu her roj dikarî bi zarokên xwe re jî qîse bikî. Ma gelo wan pêşmergeyan û Barzaniyê nemir dikaribûn ji cend mehan carekê zarokên xwe bidîtana û xwarineke germ bi wan re bixwarana! Di felsefeya Barzanî de kar bi fedekarî û xebat li ser hîmên welatparêzî dibe. Heger tu vê felsefê qebûl dikî, divê tu tehamula hemî zor û zehmetiyan jî bikî.

Bi vê yekê li gor piştgirî û xwedî lêderketandina Hazim û li gor bîr û baweriya rêbaza Barzaniyê nemir cehda xebatê her bi Samî re geş dibû. Vê yekê ew li ser nigan dihişt û dihişt ku ew karê xwe bike. Wî tim digot: 'Heger Barzaniyê nemir û pêşmergeyên qehram ji me re welatekî azad hiştine, divê em jî vî welatî avadan bikin. Divê em serpêhatî û karesatên vî welatî bi dinyayê bidin zanîn. Divê em êdî şerê qelemê bikin. Hewl bidin û bikaribin hemî serpêhatî, bûyer û karesatên hatine serê gelê xwe bi dinyayê bidin zanîn.

Ez ji bo vê hatim û divê ez vê bikim. Ev ne karekî rehet e. Lê ji xwe tu tiştekî bê zehmetî tuneye. Lewma tu jî vê zehmetiyê dibînî da ku tu jî sibê rehet bî.Tê jî bizanibî te xizmetek ji bo welatê xwe kiriye. Bi serketina te û nivîsadina karesata Enfalê, cîhanê ji nû de li welatê te vegere. Ewropî û dostên me wê bi saya van xebatên te ji nû ve wan karesatan zindî bikin. Ji ber vê xwe aciz neke û berxwe bide. Heger îro tu zehmetiyan dibînî, sibê ew ê bibe keda te ya xebata ji bo gelê te.

8

Bi saya kartolên ku xêzana Hazim Emira dikeland û Samî dixwar, ew zû bi ser xwe ve hat. Vê nexweşiya wî du rojan domand. Roja sisiyan Samî telefonî Hazim kir û got:

- Elo Hazim can! Ez îro baş im û dixwazim ez û pîrê dest bi karê xwe bikin. Heger tu îro piştî xelaskirina karê xwe werî wê baş be.

Xuya ye bersiva Hazim erê bû. Lewma Samî defterek nû ji çantê xwe derxist. Qelemek jî kir nav defterê û xwe bi xwe got: 'Ev baş bû, ez ê îro dest bi karê xwe bikim. Ez ê pîra ku weke dîrokekê ye guhdarî bikim. Tiştên wê dîtine, bihîstine û guhdarî kirine binivîsînim.'

Samî rabû ser xwe, çend caran li hundir oda xwe geriya. Ew bêsebir bûbû. Li saeta xwe nêrî dît hê ji dema derketina wî ya çûyîna navçê re saetek maye. Lewma xwe bi xwe got: 'Ka ez ê çi bikim bi çi wexta xwe derbas bikim. Nikarim binivîsînim jî, xwendin jî niha bo min zehmet e.' Çend caran serê xwe hejand û hema yekser girtîgeha ew tê de bû hat bîra wî.

Di wê girtîgehê de rojên ziyaretan jî ew wiha aciz dibû. Wî dizanîbû her tim û miheqek hinek dê werin dîtina wî. Lewma dema ku wext dihat, di lîsta ewil de navê wî nehata xwendin gelek aciz dibû. Hevalên wî jî bi vê aciziya wî dihesiyan. Lewma wan digot: 'Samî xwe aciz neke lo, wele em dizanin tu, tu caran bê ziyaret namînî wê her hinek bên.' Bi vê yekê hema Samî di ber xwe de keniya û got wele wan jî rast digot.

Dem dema çûyina mala pîrê bû. Hazim hatibû ba Samî, wî jî haziriya xwe kir û got:

- Belê Hazim can! Ez hazir im. Em dikarin êdî herin. Hazim û Samî derketin, Samî deriyê oda xwe ya xebatê kilît kir. Hêdî hêdî li ser cadê û di nava dikanên Bilê de berê xwe ber bi mala pîrê ve kirin. Hazim li Samî nerî û got:

- Mamoste wele rê dûr e û germ e. Ka em hinekî bisekinin yekî xwedî seyare bibînin bila ew me bigihîne mala pîrê.

Ji ber ku Samî dixwest zû xwe bigihîne mala pîrê lewma wî got:

- De tişt nabe lo ka em hêdî hêdî bimeşin. Ma ji xwe ez her roj ji cihê karê xwe heta navçê diçim û têm. Ez êdî fêr bûme. Lê dîsa Hazim got:

- Na wele germ e, mamoste. Hê axaftina wî temam nebûbû Nazimê birayê Hazim li gel seyara xwe li ber wan sekînî û got:

- Ma hûnê bi ku de herin?

- Em ê herin mala pîrê, Samî got.

- De ka siwar bin ez jî diçim mal.

Hazim û Samî li seyarê siwar bûn. Ketin rê û Nazim seyare ber bi mala Pîrê de ajot. Li ber deriyê pîrê sekinî. Samî û Hazim daketin. Piştî ku Nazim seyare bi cih kir ew jî hat. Deriyê hewşê ji textan û li ser wan jî bi tenekan hatibû seyandin. Hazim çawa destê xwe da derî, derî vebû. Bi vekirina derî hewşeke mezin ku hundirê wê bi dar û gulan hatibû xemilandin, li ber çavên Samî ket. Dema derbas bûn, pîrê li hêwanê bû û li ser mînderekê xwe dirêj kiribû. Dema wê çav li wan ket rabû ser xwe û got:

- Hûn bi xêr hatin kurê min. Samî çû destê wê girt xwest maçî bike lê pîrê nehişt û wê bi xêrhatineke taybet da wî. Samî xwe li hember pîrê da erdê. Bûka pîrê Safiya li ser tepsiyekê çar qedehên ava çemidî danîbû ser û berbi wan ve hat. Berê bixêr hatin li wan kir û dûv re jî tepsiya qedehên avê li ser, ber bi Samî dirêj kir û got:

- Fermo. Samî qedehek girt vexwar û ew bi şûnde li cihê wê vegerand. Piştî vexwarina avê Samî li Hazim nêrî û got:

- Hazim can divê êdî em dest bi karê xwe bikin.

- Belê kerem bikin got û Hazim ji ba wan rabû. Samî berçavka xwe ya ji bo xwendin û nivîsandinê kire ber çavên xwe. Deftera xwe vekir û qelem xiste destê xwe yê rastê û got:

- Pîrê ez dixwazim tu hemî serpêhatiyên xwe yên ji roja te û Mistefa we hevdu nasîne û zewicîne bêjî. Wan serpêhatiyên xwe û Mistefa heta bêne bîra te divê tu bibêjî. Ji ber ku tê ji me re dîrokeke bi her aliyên xwe ve nayê zanîn vebêjî û bi vê tê hin quncikên di vê dîrokê de tarî mane, ronî, zelal û aşkera bikî.

- Baş e kurê min, hema tu çawa bixwazî ez ê wisa bikim. Çi tiştê bê bîra min ez ê ji kurê xwe re bêjim.

- Tu dikarî ji roja te û zilamê xwe Mistefa hevdu çawa nasîn û êdî pêde were heta vê rojê. Ez ê jî binivîsînim da ku hin tiştên nayên zanîn bi saya te wan jî bidim zanîn, ji bo însanên me, xortên Barzaniyan dîroka xwe baş bizanibin û binasin. Ji ber ku ew miletê dîroka xwe nizanibe, ew ciwanên bi dîroka xwe ne jiyabin, di wî xelkî ango di wê neteweyê de kêmaniyek hebe.

Piştî vê pîrê tizbiya xwe ya nod û neh lib bû, ji berîka xwe derxist, lib bi lib di nava tiliyên xwe de bir û anî. Kûr û dûr fikirî. Piştî zewaca wan êdî pîra me ya rûs bûbû misilman. Her wext nimêja xwe dikir. Ji bo selewat û duayan tim tizbiya wê ya nod û neh lib di berîka wê de bû. Piştî wê fikirindana kûr û dûr, mirov dizanibû ku xemginiyekê ew girt. Mirov tê derdixist wecê wê şiklekî din girt. Cihê xwe xweş kir û gazî bûka xwe Safiya kir û got:

- Wa safiya ka te çay ji mêvanê me yê ezîz re ne anî! Dengê Safiya ji hundir hat û got:

- Belê va ye hazir e û hema tînim pîrê. Wekî din tiştek lazim e.

- Na keça min na, lê ji bo mamosteyê delal, êvarî xwerineke xweş çêbikin.

- Baş e, pîrê tu qet meraqan neke. Got û li ser tepsiyekê vê carê sê çay hebûn û dema tepsî ber bi Samî de dirêj kir. Samî spasî kir û got.

- Wele ez çaya bê şekir venaxwim. Ji kerema xwe re di qedehek mezin de bo min çay bîne û bila şekir li gel be. Ez dîşleme (kirtleme) vedixwim.

Hema yekser Safiya qedeha Samî guherî. Anî û bi wê yekê ew derbasî mitfaxê bû. Samî berî çay vexwe. Serê xwe bilind kir li pîrê nêrî got:

- De baş e pîra delal, em dest bi karê xwe bikin. Kerem bike gotin ya te ye. Te û Mistefa çawa hevdu nasîn? Hûn çawa zewicîn? Tu çawa heta Kurdistanê hatî û tu çawa bûyî hevsera Mistefayê Enfalkirî û tu bûyî dayîk û dapîra Enfaliyan. Êdî em te guhdarî bikin û vê serpêhatiyê bigihînin nivşê nû da ku ew jî dîroka xwe, serokê xwe û rêbaza Barzaniyê nemir binasin. Û pîrê destpê kir û got:

- Belê kurê min dawiya sala 1947'an bû me dibihîst hin kurd ji ber xezaba Îranê reviyan e û 500 rojan di rê de meşiyane heta xwe gihandine Sovyetê. Rêya wan jî ne wiha rehet bû. Li gor gotinên dihatin gotin, wan gelek zor û zehmetî jî kişandibûn. Gelek caran li hember tirkan jî şer kiribûn. Lewma wan di sînorên tirkan de xwe gihandibûn Sovyetê. Bi rastî me jî ew meraq dikirin gelo ew kî ne, daxwaza çi dikin? Çima ewqas rê peya meşiyane û xwe gihandine Sovyeta berê ya ku niha bibi navê Rûsya tê zanîn. Li gor gotinan ew pêşmêrgeyên qehreman yên şerê azadiya welatê xwe bûn. Wan alîkariya serîhildana Komara Kurd li Mehabadê kiribûn. Li gel serokê wê Qazî Mihamed komara xwe damezirandibûn. Li wir dihat gotin yekî ku navê wî Barzanî ye serkêşiya wan pêşmergeyan dike heye. Lê digotin ew 512 kes in. Gelek zor û zehmetî kişandine. Xwe bi zorê gihandine wir. Ango Sovyeta berê. Bi qasî dihat gotin û zanîn dewleta me xwedî li wan derketibû.

Dîsa li gor gotinê û zanîna em fêr bûn, hinekan xwend, hinekan kar dikir û hinek jî bûne leşker. Lê wan camêran heta di dema Stalînê dîktator de li wir jî gelek êş û cefa dîtibûn. Stalîn ew ji hev bela wela kirin. Her yek ber bi bajarekî şandin. Rewşa wan jî gelek xerab bû. Dihat gotin tirkan ji Stalîn re gotiye divê ew wan hemiyan ji hev belav bike. Ya na ew dikare bibin bela serê wan jî. Stalîn jî ev daxwaza tirkan pêk aniye û her yek bi derekê de şandiye. Yanî têkiliya nava wan qut kiriye. Gelek zeman wiha çû, ez ê nexazim wan hemiyan bêjim. Car carna hin tişt hatin bîra min ez dikarim di nav re bêjim. Ji ber ku jiyana wan pêşmêrgeyên azadiyê her yek bi serê xwe dikare bibe çend pirtûk. Ez bawerim dîrokê dê vê binivîsîne. Niha em li ser daxwaza te karê xwe bidomînin. Bawer im wê baştir be kurê min ê hêja.

Belê di nava wan pêşmêrgeyên hêja û delal yên ji bo azadiya gelê xwe heta wir hatibûn, yek bi navê Mistefa li bajarê me bi cih bûbû. Ew di kolhoza min lê kar dikir, dixebitî.. Karkirina me ya li wê kolhozê a bi hev re û dîtina wî ya her roj gelek bala min kişandibû. Min jî dixwest kurdan nas bikim. Bê ew li dû çi ne, kî ne, çima şer dikin û reviyan û hatine wir. Lewma jî meraqek zêde bi min re çêbû da ez wan binasim. Dema min dibistana hemşîretiyê dixwend, ji bo kurdan û van pêşmêrgeyên şervanên gelê xwe binasim, ez bi pirtûkxanan ketim min dixwest fêr bibim ev kurd kî ne? Çi ne? Vê mereqa min dûr ne ajot û min li ser wan pirtûkek dît.

Ew weke dîroka kurdan bû. Lê min dixwest ew ên ku ewqasî roj peya xwe gihandibûn Sovyetê binasim. Ez her roj li dû vê mereqê bûm. Lê hê jî min nikaribû xwe bigihanda kesekî ku ji Îranê heta wir li gel zor û zehmetiyan hatibû.

Roj bi roj mereqa min zêde, lêkolînên min berfirehtir dibûn. Min êdî kurd û welatê wan Kurdistan nasîbû. Ez fêr bûbûn bê ew çawa hatine parçekirin. Fêr bûm bê wan çiqas ji bo azadiya welatê xwe têkoşîn dane. Kurd û Kurdistan yek bi yek di serê min de bi cih dibû. Lewma jî kurd û Kurdistan, welatê bindest û serîhildanên wan dilê min dineqişand. Ji ber vê yekê bû roj bi roj hezkirinek berfireh û zanyariyên min bêtir derheqê wan de çêdibû. Min dixwest ew kesên ji Îranê heta wir qonax bi qonax û peya hatine, bibînim. Piştî min ev bûyera wan mêrxasan bihîst, Kurd û Kudistan nasî, her min xwest bi her awayî nêzikayê li wan bikim.

Min êdî ji wê rojê û bihîstana wan pêde, her roj roj-nameyên derdiketin dişopandin. Nivîs û maqeleyên li ser wan berhev dikirin. Min li gel hin kurdan têkilî danî û hin ji kurdên li moskawa diman nasîbûn û hin ji wan bûne dostên min. Ji ber ku min jî dibistan dixwend zêde wextê min tunebû ez bajar bi bajar bigerim wan hemiyan bibînin û binasim. Wan bina-sim da ku bikaribim dîroka wan fêr bibin.

Di sala min ya minê dibistana xwe biqedanda bav û birayê min di şerê elman û sovyetê de hatin kuştin. Ji ber vê yekê bû min jî êdî nikaribû xwendina xwe temam bikira. Ez êdî kesa malê ya mezin bûm. Bav û brayên min di şer de hatibûn kuştin. Kesên malê ango xwîşkên min yên ji min biçûktir hebûn. Divê ew bihatana xwedî kirin.

Heger min bixwenda ji bo min bi xwe jî mesref lazim bû. Bi ked û lebata min û dayîka min me mala xwe îdare dikir. Lê her min li ser kurd û Kurdistanê bi qasî îmkanên min hebûn lêkolîn dikirin. Heta min dixwest, nivîsekê jî li ser wan binivîsînim. Lê min ew mecal nedît. Piştî min dev ji dibistanê berda, êdî roj bi roj lêkolînên min yên li ser kurdan kêm dibûn. Êdî ez bûbûm xebatkareke malê û li xwîşkên xwe dinêrî. Êdî zilam di mala me de nemabûn. Ji xwe mirov nikare behsa şerê Elman û Sovyetê jî bike ku di wî şerê qirêj de çiqas mirov hatibûn kuştin.

Êdî me xwe gihandibû dawiya sala 1947'an. Şer û pevçûn nemabûn. Lê birçîbûn, perîşanî û malwêranî li dû şer mabû. Min jî bav û birayê xwe di wî şerî de winde kiribûn. Ji ber vê jî mecbûr mam ez weke kesa malê ya mezin kar bikim. Min li kolxoza pembo kar peyde kiribû. Karê min ew bû; kesên pembo diçinîn dianîn min jî wezna kiloyên wan li defterê dinîvîsand. Gelek karker hebûn. Kesên kîsên xwe tijî pembo dikirin, ji bo weznê dianîn. Min jî diwezinand û kîloyên wan di defterê de dinîvîsand ji bo ku li gor wê weznê pereyên xwe bigirin. Kar dîtin û xebata min ji bo kesên malê birçî nemînin bû. Ji ber ku li malê ya mezin ez bûm. Du xwîşşk û dayîka min hebûn.

Çend rojên ewil qet bala min nekişandibû kesekî xerîb bi bejn û bala xwe, hal û hereketên xwe û bi zimanê xwe ne rûsî bû, hebû. Ji ber ku ez ketibûn tatêla nanê malê, li ber bira û bavê xwe diketim. Ji ber nebûna zilaman di mala me de tesîreke nebaş li ser min hiştibû. Her ez di hesreta bavê xwe de bûn. Her min bêriya birayê xwe dikir. Lê êdî ew li me venedigeriyan. Li gor adetên me jî min bala xwe zêde ne dida zilaman. Tenê kîsê wan diwezinand. Kîloyên wan li deftera xwe dinivîsand.

Piştî çend rojekan kesekî zêde bala min dikişand. Yekî bejinzirav û dirêj bû. Çavên wî qehweyî, porê wî reş bû. Şikil û şemala wî li hev, weçxweş bû. Lê tim di nava xem û xeyalan de bû. Ken bi rûyê wî nediket û tu car henek bi hevalên xwe yên kar re nedikir. Dema ku min baş bala xwe dayê fêm kir ew ne rûs e. Lê min meraq kir gelo ew çi kes e, ji ku hatiye. Roj bi roj meraqa min zêde, xwestina nasîna wî bi min re berz dibû. Lewma min xwe negirt û rojekê çûme ba şefê xwe û min jê pirsî:

- Brayê Eleksander gelo ew kesê bejndirêj ku baş dizanim ne rûs e kî ye? Çi kes e? Bi rastî jî min meraq kir.

- Dibêjin ew kurd e. Ji Îranê reviyaye, xwe avêtiye bextê welatê me. Welatê me jî li wan xwedî derketiye. Li gor tê gotin ew 512 kes bûne. Lê niha her yek ji wan li derekê ango li bajarekî ne. Bêtirên wan kar dikin. Ev jî yek ji wan e.

Dema Eleksandrê şefê min ev ji min re got, hema yekser weke av bi çongên min de hatibe, weke di nava min de tiştek teqiya be kêfa min hat. Ji ber ku daxwaza min ya ku kurdan ji nêzîk de binasim, zûde hebû. Lê di dema xwendina xwe de min ew derfet nedît. Piştî min dev ji dibistana xwe jî berdabû, êdî li vê yekê nedifikirîm. Lê ew tiştê min gelek bi wextê xwe dabûyê, ew kesên min dixwest wan binasim niha li ba min e. Em li gel hev di yek kolhozê de kar dikin. Lewma min spasiya xwe ji şefê xwe Eleksandir re kir û bi kêf li cihê karê xwe vegeriyam. Xuya ye vê kêfa min bala Eleksandir jî kişandibû. Lewma wî jî li min mêze kir û got:

- Xêr e Tolga xanim, sebebê vê kêfa te ji bo çi ye? Xuya ye te mêrik di çav re rakiriye ku pêre bizewicî. Tu jî dizanî zewaca bi biyaniyan re hatiye qedexekirin. Lewre divê tu hay ji meselê hebî ha!

- Bawer bike ne ji ber tiştekî ye. Ez jî dizanim zewaca bi biyaniyan re qedexe ye. Derdê min ne ew e. Dema xwendevan bûm û min bihîst ku hin pêşmêrgeyên şervanên ji bo azadiya Kurdistanê ber bi welatê me de hatine, min meraq kir wan binasim. Lê piştî min dev ji dibistanê berda, êdî mecala min nemabû lêkolînên xwe berdewam bikim. Ew tiştê lê digeriyam, ew kesên min dixwest wan binasim, niha yek ji wan li ba min e û em di yek kolhozê de kar dikin. Vê kêfa min anî. Ji ber vê ez dixwazim tu şikan nekî. Ez ê bixwazim di demên betlana me de bi wî re qise bikim û serpêhatiyên wan fêr bibim. Ev ji min re bûye meraqeq mezin. Ji vê pêve tu mebesteke min ya din tune ye. De vê gavê bi xatirê te.

- Oxir be Tolga xanim, lê divê tu bizanî, gelek caran meraqên me dibin bela serê me jî ha. Êdî tu dizanî.

Êdî ez bi kêf bûm. Min ê meraqa berî çendekî dikir fêr bibama. Ez ê fêr bibama bê kurd kî ne? Kurdistan kîjan welat e? Ji bo çi ew ji welatê xwe reviyan û berê xwe ber bi Sovyetê vekirine? Belê ez ê van tevan ji vî camêrê niha em bi hev re kar dikin, fêr bibama. Û meraqa xwe bibira serî.

Her ku diçûm kar, bêtir bala min li ser wî camêrî bû. Difikirîm, gelo ez ê çawa bi wî re qise bikim. Ez ê çi rêyê bibînim da ku li gel wî têkiliyên xwe deynim. Dema wî kîsê xwe yê tijî pembo ji bo weznê dianî, tim serê wî di ber wî de bû. Min gelek dixwest hema carekê jî be çav bi çav em li hev mêze bikin. Lê na, her serê wî di ber de û karê xwe dikir.

Bi bejn û bala xwe bi ser hemî kesê ku li wir kar dikir, diket. Bi pakbûn û li hevbûna xwe ji hemî zilamên li wir xweşiktir xuya dikir ya jî bi min wiha dihat. Bi ehlaq û terbiya xwe jî yekî bê emsal bû. Piştî fêr bûm ku ew kurd e, van hemiyan bala min dikşand. Her cara min dixwest nêzîkayî lê bikim, lê ew tim bi dîqet û bi hesab bû. Gelek fikirîm, gelek ponijîm da ku rêyekê bibînim. Lê hemî bê fêde bûn. Êdî min hew dikarî bû xwe bigirta. Min dixwest rojekê berî rojekê vî camêrî binasim. Wî guhdarî bikim û bizanibim kurd çawan in. Lê carna jî gotina şefê min ya wî gotibû: "Carna meraqên me dibin bela serê me ha" di guhên min de weke zengilê lê dida. Lê min biryara xwe dabû ku bi wî re qise bikim.

Rojekê dîsa em li kar bûn. Lê ma min qey kar dikir! Her çavên min li bejna wî, aqilê min li ser dîroka wî bûn. Wî weke makîneyekê kar dikir. Wî ji hemiyan bêtir pembo dida hev. Wî xwe ji hemiyan bêtir diwestand. Vê bêtir bala min kişandibû. Gelo çima ev camêr ew qas xwe diwestîne? Gelo çi zora wî heye, ew qas kar dike? Gelo çima ev her dixwaze peran top bike? Roj bi roj pirs di serê min de zêde dibûn. Ev xortê pak û delal, ev xortê bejndirêj û li hevhatî, çima qise nake, nakene, sohbet nake? Tenê kar dike û kar dike. Bi vê yekê ez gelek fikirîm min da û stend, min biryar da ez ê li gel wî qise bikim. Ez ê jê daxwaz bikim, em piştî kar hevdu bibînin da ku hinekî pêre qise bikim.

Rojek ji roja înê bû. Kêfa min li cih, morala min baş, wecê min xweş, mejiyê min zelal bû. Ji ber ku ez ji êvar de heta razam li ser rewşa wî camêrî fikirîbûm. Lewma min biryar dabû li gel wî qise bikim. Çi dibe bila bibe. Ji ber vê biryarê bû kêfa min li cih bû. Bi wê kêfê min xwe gihand cihê karê xwe. Berdilka kar da ber xwe, qelem û deftera xwe girt destên xwe û çûm li ser kursiya li ber mêzînê rûniştim.

Heta ku ez rûniştim hemî karkaran jî cilên xwe guherîbûn li ser karê xwe bûn. Min çawa li kesên di nav pembo de nêrî, ew camêrê bejndirêj, kîsê xwe hema hema tijî kirî ye. Bi rastî mirov ji ber vê xebata wî, heybet digirt. Lê kêfa min jî hat ku ew ê berî hemiyan kîsê xwe ji bo weznê bîne da ku ez ê jî îro pêre qise bikim. Lewma min cihê xwe xweş kir, qelem û deftera xwe girt destên xwe. Çavên min li wî, hişê min li serpêhatiyên wî û hevalbendê wî bûn. Hê ez di nava van xem û xeyalan de bûm wî kîsê xwe danî ser mêzînê. Lê serê xwe berda xwar. Min dixwest li min binêre lê na. Te digot belkî ez bi kîlometreyan ji wî dûr im. Min nêrî nabe, min kîsê wî wezinand, li deftera xwe û li hember navê Mistefa çend kîlo bû nivîsî. Wî dikir biçûya hema min bi ecele bi rûsî jê re got:

- Bira wele gelek te meraq dikim. Ez serpêhatiya we hinekî dizanim. Heger te mecal hebe ez dixwazim li gel te qise bikim.

Wî bi tirs li min mêze kir. Ew tiştekî din fikirî û fêm kir ku hin tişt qewimîne. Lewma bi tirs bê ku li min binêre bi rûsiyeke ne zêde pak bi qasî mirov jê fêm dikir got:

- Xêr e, çi qewimî ye?

- Na, netirse tişt neqewimî ye. Lê ez te û we meraq dikim. Dixwazim we binasim. Heger te mecal hebe em roja yekşemê hevdu bibînin.

Min bi zimanê wî qet nizanîbû û ew ji hê zimanê me baş fêrnebûbû. Lê karê xwe, pêwîstiyên xwe dimeşandin. Dikaribû derdê xwe û pêdiviyên xwe jî bi rûsî bigota. Dema min ew pirs jê kir, tê gihiştim ku ew gelek tirsiya. Di dema Stalîn de gelek tade û êş li wan hatibû kirin. Li ser daxwaza Stalîn hemî ji hev belawela kiribûn. Her wiha li ser wan kontrola dewletê hebû, ka bê kî çi dike, çi difikikire. Piştre fêr bûm di vê de rola tirkan jî hebû. Dibe ya Îran û Iraqê jî hebû. Ez wê baş nizanim, lê ya tirkan dizanim. Ji xwe vê jî tesîr li ser min kiribû van camêran baş binasim. Wan li hember Îranê serî hildabûn. Lê tirk ji wan aciz bûn. Iraq ji wan aciz bûn. Lewma meraqa min her ku diçû zêdetir dibû.

Piştî Mistefa hinekî fikirî, min fêm kir weke bêje "ji vê keçe ciwan wê tu xerabî neyê." Lê dîsa bêyî ku li min binêre, got:

- Erê ma tu çi yê me meraq dikî? Heger tu serpêhatiyên min fêr jî bibî tê wan çi bikî? Ez dibêjim hema dev jê berde. Xwe newestîne, dilê xwe yê rehet xemgîn neke. Serê naêşe paçan nedê.

- Tu bawer bike tu niyeteke min ya xerab tune ye. Lê min li ser kurd û Kurdistanê di dema xwendevan bûm de gelek lêkolîn kirine. Ez bi qasî ku min xwendiye we dinasim. Lê min dixwest ji devê kesekî ku wan bûyeran hemiyan jiyaye, guhdarî bikim. Heger min mecal peyde kir belkî hin tiştên tu yê ji min re bibêjî di rojnameyên me de jî bidim weşandin.

- Yanî tu dikarî tiştekî wiha bikî? Bi kêf got Mistefa. Dema behsa rojnameyan bû, Mistefa fikirî dibe ev ji bo wan baş be. Lewma axaftina xwe domand û got: - De baş e, xuya ye tu miroveke qenc î. Hema te çawa xwest ez ê weke te bikim. Ji xwe tiştekî ez êdî winda bikim jî nemeye.

Gotina Mistefa ya: "Ji xwe tiştekî ez êdî winda bikim jî nemeye" yek ser bala min kişand û min got:

- Çima tiştekî tu winda bikî nemaye? Xêr e. Ev gotin gelek giran e.

- Belê rast e. Ma dema mirov welatê xwe winda kir, êdî çi dimîne? Dema mirov ji welatê xwe dûr ket, êdî jiyan ji bo çi ye? Hê wî gotina xwe didomand şef bala me kişand ku em li kar in. Li cihê kar jî sohbetên wiha dirêj nabe. Lewma min heq da şefê xwe û li Mistefa nêrî û got:

- Baş e, roja yekşemê were vir, ez ê te ji vir bigrim em ê herin mala me da ku te guhdarî bikim.

- Baş e, ser çavan, got Mistefa.

Wê rojê karê Tolga tenê fikirandina rewşa Mistefê bû. Ew gelek fikirî ku çima Mistefa wiha qise kir? Çima got welat nemaye? Çima ew li vir e û çi bi hevalên wî hatiye? Ji 512 kesan tenê ew li vir e, gelo yên din li ku ne? Her wiha pirs di serê Tolga de her ku diçû zêde dibûn. Heta derengî şevê ew li ser rewşa Mistefê fikirîbû.

Roja şemiyê dema Tolga li karê xwe bû û dîsa weke her car Mistefa berî herkesî kîsê xwe yê tije pembo anî da ku biwezinîne. Dema wî kîsê xwe danî ser mêzînê û hinekî serê xwe rakir û li Tolgayê nêrî. Ev cara ewil bû Mistefa wiha dikir. Vê yekê bala Tolgayê jî kişandibû. Lewma wê bi awayekî devliken got:

- Roja te xweş bira.

- Serçavan ya te xweştir be.

Tolga têgihişt wê Mistefa hêdî hêdî bi wê re têkiliyên xwe deyne. Lewma kêfa wê dihat. Ev cara yekem bû Mistefa li wê mêze dikir û rojbaşiya wê dikir. Tolga ji vê gotin û helwesta Mistefa gelek kêfxweş bûbû. Lewma wê got:

- Mistefa sibê vê demê were vir, ez ê te ji vir bigrim û em ê herin mala me. Ji xwe mala me ne zêde dûr e.

- Baş e, ser çavan lê tiştekî wiha zirarê nade te?

- Çima zirarê bide min!

- Ez dizanim ji roja .... sekinî û qet tiştekî din negot. Aha di wir de min fêm kir mebesta wî çi bû. Ji bo çi qise nake û ew ji min re bû îşareta pirsê.

- De baş e, min got sibê were, em ê herin mala me. Te bi dayîk û xwîşkên xwe yên ji min biçûktir jî bidim nasîn.

- Baş e, ser çavan.

Wê êvarê ji hemî êvarên din bêtir bi kelecan bûm. Wî ez ne şkandibûm. Wî daxwaza min qebûl kiribû. Ez ê cara yekem bi yekî kurd re biaxifiyama. Dibe ku gotinên wî rêyeke nû li ber min vekira. Dibe ku tiştên wî yên bigota biba weke agahdariyekê li ser rewşa kurdan û bi taybet ya wan. Difikirîm, tiştên wî bigotina, min ê di rojnameyan de bida weşandin. Vê dikarîbû hem alîkariya wî û hem jî ya min bikira. Lewma jî wê şevê hema hema qet ranezabûm. Ji xwe ji bo ku em xwarinek xweş ji bo wî çêbikin, xwîşkên min hemî tiştên ji bo xwarina sibê hazir kiribûn. Serê sibê bi dengê dayîka xwe bi xwe hesiyam, wê digot:

- Tolga keça min rabe, te xêr e, çi bi te hatiye tu heta niha razayî?

- Wele dayê ez ji êvar de ranezam. Hingî fikirîm xew li min herimî. Vî mêrikê ku wê îro bê mala me û rewşa wî bi tevayî gelek meraq dikim.

- Keça min te dilnegirtibe, bi ken got dayîka min.

- Na yadê, dilê çi halê çi. Ma tu nizanî qedexeye ku keçek rûs bi kesekî biyanî re bizewice. Heger em bêjin min dil jî girt, ma em ê çawa bizewicin! Ev hatiye qedexekirin.

Dayîk û xwîşkên Tolgayê dest bi haziriya xwarinê kirin. Tolgayê jî wê rojê kincên xwe yên xweşik li xwe kirin û berê xwe ber bi cihê karê xwe de da. Ji xwe wê rojê kar tune bû. Yên ew dîtin jî gotin:

- Tolga xêr e, ma îro kar heye? Te berê xwe ber bi kar daye?

- Na, îro wê kesek were mêvanderiya me. Ez ê wî ji wir bigirim.

- Kî ye çi kes e, Tolga?

- Jê re dibêjin kurd. Ew jî li ba me kar dike. Min got xerîb e, guneh e. Lewma min xwest ew îro were mala me, xwarineke germ ya malê bixwe.

- Wele te baş kiriye.

Tolga hem difikirî û hem jî bi gavên xwe yên nazik hêdî hêdî ber bi cihê kar ve diçû. Dema ew nêzîkî cihê kar bû, dît ku va ye Mistefa berî wê li wir sekiniye û li benda wê ye. Tolga nêzîkî wî bû, destê xwe dirêjî wî kir û bi xêrhatina wî kir. Dema Tolgayê xwest bi destên wî bigire û xêrhatinê lê bike, Mistefa gelek şerm kir. Xwe bi xwe got: ‘ma ez ê çawa bi destê wê bigrim? Ma ne şerm e? Lê dît hê destê Tolgayê ber bi wî de sekiniye, nedibû ku ew jî destê wê negire. Lê dema destê xwe da destê wê, germiyekê canê wî girt. Xweşiyek bi ser wî de hat. Ji ber di jiyana wî de belkî ev cara ewil bû wî bi destê keçeke biyanî û wiha ji dil û germ digirt. Nedixwest destê wê berde. Wî dixwest hema ew destê nerm û germ wiha di nava destê wî de bimîne. Lê nedibû. Li xwe varqilî. Zû bi zû destê wê berda. Ji şerma wecê wî sorûmoro bû. Tolgayê got:

- Hêvîdar im tu ji zû de nehatiyî?

- Na ez jî hema niha hatim e.

- De baş e, ka em herin mal.

Dema ew meşiyan Mistefayê reben nizanibû ew ê çawa bike. Gelo ew ê bide pêşiya Tolgayê, na na. Heger bide pêşiyê wê rêya malê nezane. Eger bide dû wê jî li gor adetên wan diviya jin li dû mêran bimeşiyana. Lewma li cihê xwe sekinî. Dema Tolga çend gav avêt nêrî Mistefa hê li cihê xwe ye. Bangî wî kir û got:

- Mistefa tu çima nayê? Bi dengê Tolgayê Mistefa li xwe hay bû, şerm kir û meşiya. Dema gihişt ba Tolgayê, herduyan xwe dane kêleka hev û ber bi malê de çûn. Dema nêzîkî malê bûn Tolgayê got:

- Binêre rêya me nas bike. Dibe tu carna xwe bi xwe werî mala me.

Deng ji Mistefa nehat. Ew xwe bi xwe fikirî û got: 'Gelo çima wê got dema tu tenê hatî' ma qey ez ê gelek carên din jî bême vir. Hê Mistefa di nava xeyalan de bû Tolgayê bi mîrkutokê bi derî ve daliqandî, carek li derî da, ji aliyê hundir dengê jinekê hat û got:

- Belê va ye ez hatim. Û dema derî vebû keçeke bi temenê xwe ji Tolgayê biçûktir û ji wê sipehî û xweşiktir derî vekir û got; fermo. Dema çavên Mistefa bi wê sipehîbûna wê ket şaş ma. Nema zanî ew ê çi bike. Tolgayê got:

- Fermo, derbas be. Dema derbasî hundirê hewşê bûn xwîşka Tolgayê Kristina destê xwe dirêjî Mistefa kir:

- Tu bi xêr hatî bira, got. Mistefayê reben, nema dizanî çi bike. Lewma xwe bi xwe got: 'Dibe li vir adet be jin destê xwe dirêjî mêran dikin û bixêrhatina wan bi vî awayî ye. Divê êdî ez jî vê fêr bibim. Hema ji nişka ve Mistefa jî bi destê Kiristinayê girt. Ew destê nerm û germ di nava keva destê xwe de şidand û got:

- Xêrdar bî. Dûv re xwîşka wê Marîa û dayîka wan jî bi xêrhatina Mistefa kirin. Derbasî odê bûn. Rûniştin. Dema rûniştin Mistefa hinekî li dora xwe li odê mêze kir dît bê çiqas xweş û delal hatiye raxistin, her tiştekî hundir bi rêkj û pêk li cihê xwe ye. Mistefa li bendê bû zilamê malê jî were lê kesek nehat. Wî meraq kir û got:

- Ma ka bavê we, ya jî zilamê malê nayê?

Dayîka wan nexwest hê bêtir Mistefa li benda zilaman raweste, wê got:

- Kesekî zilam di vê malê de tune ye birayê Mistefa. Mêr û kurê min di şerê Elman û Rûsan de hatin kuştin. Ez û ev hersê keçên xwe man e. Tolgayê dixwend lê piştî kuştina wan wê jî dev ji xwendinê berda, kar dike li me mêze dike.

- Bila serê we sax be, bi şermokî got Mistefa.

Piştî demeke kurt Tolgayê li Mistefa nêrî û got:

- Fermo xwarin hazir e, em herin mitfaxê.

Mistefa rabû, lê nizanîbû ew ê bi kîjan alî de here. Tolgayê da pêşiya wî, derbasî mitfaxê bûn. Bêhna xwarineke xweş girt. Mistefa bi salan li malekê û xwarineke wiha nexwaribû. Bi kêf bû, lê di warekî de jî xemgîn bû ji ber ku mêr di vê malê de nemane. Piştî xwarin û çay vexwrinê Tolga, dayîk û xwîşkên xwe, xwe dane dora Mistefa û Tolgayê jê re got:

- Êdî dem hatiye tu ji me re û bi taybet ji min re behsa xwe, hevalên xwe û serpêhaitiyên xwe bikî. Ez dixwazim her tiştekî te û welatê te fêr bibim. Tu kî yî? Kurd kî ne? Kurdistan çi welat e? Ji bo çi hûn ji welatê xwe dûr in? Çima reviyane vir? Yek bi yek bêje, da ku ez jî wan binivîsînim. Dibe îro neqede lê heta tu hemiyan nebêjî,tê her bibî mêvanê me.

- Baş e, ser çavan. Madem tu ew qasî min, rewşa min, welat û hevalên min meraq dikî ez ê jî bêjim.

9

Min û Mistefa me cihê xwe yê rûniştinê xweş kiribû. Min qelem û defterek xistibû destên xwe û xwest pirsan ji wî bikim. Dema min lê mêze kir dît ku hê şerma wî derbas nebûye, lewma min bi ken jê re got:

- Mistefayê bira, divê êdî tu li vê malê şerm nekî. Vê malê jî weke mala xwe bihesibîne. Karê min û te dikare gelek dirêj bidome. Heta ez temamê serpêhatiyên te guhdarî nekim, heta kurd û Kurdistanê weke ez dixwazim nasnekim, ez ê te wiha bi rehetî bernedim. Lewma tu şerma xwe bavêje, rehet be ji bo tu jî bikaribî bersivên min heta ji te bê, rast bidî.

- Na, na, bi lez got Mistefa û doman. Bawer bike ez ê êdî şerma xwe bavêjim. Heta ji min bê ez ê tiştên tu dipirsî bêjim. Ez ê hewl bidim meraqa dilê te jî bînim cih. De ka bêje! Pirsa te çi ye, tu dixwazî çi fêr bibî?

- Berê dixwazim kurdan binasim. Kurd kî ne? Kurdistan çi welat e? We çima welatê xwe terikandiye û li vir bi cih bûne?

- Baş e, ser çavan. Bi rastî ez jî kêfxweş bûm, keseke ji miletekî din dixwaze serpêhatiya me bizanibe, dixwaze me kurdan binase. Ev cihê şanaziyê ye. Ji ber vê ez jî spasiya te dikim. Hêvîdar im tiştên ez ê bêjim wê kêrî te bên.

Piştî Mistefa wiha got, cihê xwe xweş kir. Tizbiya xwe ya dirêj ji berîka xwe derxist. Berê çend lib di nava tiliya xwe ya eşhedê û ya ortê de bir û anî. Heger mirov ji dûr ve lê binêriya mirov dê bigota qey ew stranbêjekî kurd e. Lê ew ne stranbêj, ne jî helbestvan bû. Ew pêşmergeyekî azadiya welatê xwe bû. Destpê kir got:

- Em kurd weke her miletekî xwedî axa xwe û welatê xwe bûn. Em xwedî welatekî bi sererd û binerdê xwe dewlemend bûn. Ji ber vê dewlemendiya welatê me, her çar dagirkerên welatê me ango Tirkiye, Iraq, Îran û Sûriye dixwestin û dixwazin me bikin xulamên xwe. Sererd û binerdê welatê me talan bikin û bixwin. Lewre jî tim şer û pevçûnên kurdan li hember dagirkeran û zilma wan ranewestiya û heta Kurdistan azad nebe dê raneweste jî.

Ji ber vê ye, tim şer û pevçûn li ser axa me derdikeve. Lewma dijminan xwestin welatê me dagir bikin. Me kurdan jî li hember dagirkeran şer kirîye ango welatê xwe parastiye. Lê çi mixaban di sala 1639'an de Împeratoriya Osmaniyan û ya Farisan li gor paymana Qesra Şîrîn welatê me kirin du parçe û her yekî ji wan parçek ji welatê me kirin ê xwe.

Ji wê rojê de kurd her şer dikin da ku welatê xwe ji bin dagirkeriya wan herdu dewletên mezin azad bikin. Vî şerî bê westan heta sala 1920'an domand. Lê çi mixabin wê demê Komara Tirkan yani binemala Osman û ya ereban jî li Sûrî û Iraqê pêkhatibûn. Li gor peymana Lozanê vê carê welatê me kirin çar parçe. Êdî dijminên me zêde û welatê me bêtir hatibû parçekirin. Em weke kurd êdî ketin bin destê Iraq, Iran, Tirkiye û Sûriyê. Her ku diçû rewşa me xerabtir dibû. Lê li hemberî vê jî li bakur, li başûr û li rojhilatê Kurdistanê gelek şer hatin kirin û di hemî şeran de me kurdan her winda dikir. Ev jî ji ber nezaniya me, bêxwedîtiya me û bêtifaqiya me bû.

Li bakurê Kurdistanê şerê azadiyê heta sala 1938'an domand. Heta vî şerî kurd gelek hatin kuştin. Welatê me hat wêrankirin. Gelek ji rêber û pêşevanên bakurê welatê me hatin darvekirin, koçkirin ango surgunkirin. Ji welatê xwe bi darê zorê bi hukmê tivingê hatin derxistin. Tirkan tiştekî wiha bi ser kurdên me yên bakur de anîn ku hema hema êdî bi tevayî ewrekî reş û bêdengiyekê xwe li ser bakurê welatê me vegirt.

Wî ewrî nehişt êdî kurd serî hildin. Bi gotineke din ji ber şer, kuştin, qirkirin û talaniyê êdî kurd qudûmşkestî bûbûn. Lê kurdan her li başûr jî bi serokatiya Mistefa Barzanî ji sala 1943'an heta 1945'an şerê xwe kirin. Lê li wir jî bi ser neketin. Em hemî pêşmêrge ji bo neyên kuştin bir bi rojhilatê Kurdistanê de reviyan, çûn wir. Mistefa Barzanî ku sorekê me bû, her tevdigeriya ji bo ku rê û mecal bê dîtin em li başûrê welatê xwe vegerin, şerê xwe bikin û wir ji bin dagirkeriya Iraqê azad bikin.

- Mistefa ka bisekine te got Mistefa Barzanî ew kî ye? Niha li vir jî tê gotin rêberê kurdan li gel hin pêşmêrgeyên xwe hatiye Sovyetê.

- Belê Mistefa Barzanî serokê me ye. Şerê azadiyê li başûr bi serokatiya wî hat destpêkirin. Ew hê jî serokê me ye. Lê….

- De baş e, ev niha bes e, em ê dûre dîsa werin vir. Ka ji cihê tu lê mabû bidomîne. Min tenê xwest bizanibim bê Barzanî kî bû.

- Baş e wê gavê ez berdewam bikim. Dema em li Îranê bûn, Barzaniyê rêberê me dît li Îranê bi serokatiya Qazî Mihemed tevgerek neteweyî û pîroz pêk hatiye û ew hazirî dikin vê carê li wir dest bi şerê azadiya kurdan bike. Lewma hema Mistefa Barzanî rêyekê dibîne û xwe digihîne Qazî û daxwazê lê dike da ew wan jî weke şervanên Kurdistanê qebûl bike. Ji ber ku ji bo Barzanî Kurdistan yek parçe bû. Ew bi destên dijminan hatibû parçekirin. Piştî Qazî jî vê daxwaza wî qebûl dike, ew jî bi kêf ji nû de xwe dîsa ji bo azadiya miletê xwe tev dide û dikeve nava me yên ku em ji Iraqê li gel wî reviyabûn Iranê. Rojekê bi dizî wî em komkirin û got:

- Gelî hevalên dilsozên welatê xwe. Weke hûn jî dizanin em kurd ne li Tikiyê ne jî li Iraqê bi serneketin. Me li bakur û başûr winda kir. Bi vê windakirinê wê kurd welat, ax û namûsa xwe jî winda bikin. Lê niha çirûska azadiyê va ye li vir dike pêbikeve. Bi serokatiya Qazî Mihemed haziriya şerê xwe yê azadiyê dikin. Ez ji vê haydar bûm. Lewma min bi rêyekê xwe gîhand Qazî û daxwaz jê kir, em jî weke pêşmergeyên vî welatê delal û di bin serokatiya Qazî Mihemed de li gel brayên xwe şerê azadiya welatê xwe bikin. Welat her Kurdistan e. Çi başûr, çi bakur, çi rojhilat û çi jî rojava. Kîjan parçe azad bibe wê roniya xwe bide parçên din. Lê min xwest fikra we jî bigrim. Hûn ya min pirs bikin ez dibêjim; em weke pêşmêrgeyên welatê xwe di bin serokatiya Qazî de li gel birayên xwe şerê parastina welatê xwe û azadiya wî bikin. Ka hûn çi dibêjin?

Me jî hemiyan bi yek dengê û got:

- Biryar ya te ye. Madem şer şerê azadiya Kurdistanê ye, weke canabê te jî got ferq nake. Em jî amade ne. Em bi te bawer in. Tu çi bêjî em ê bikin. Piştî ku Barzanî ji me jî piştgirî girt, wî ji nû de têkiliyên xwe li gel Qazî Mihemed danîn û jê re got:

- Brêz Qazî Mihemed, şerê hûn dixwazin bikin, şerê azadiya gelê me ye. Di vî şerî de em jî weke hêza xwe, li gor qaweta xwe dixwazin bikevin nava we. Em ê li gor destûr û bernameyên we tev bigerin. Em ê guhdarê we bin, hûn çi kar û çalakiya bidin me em ê bikin. Ji ber ku ev şer, şerekî girîng e. Heger cenabê te bala xwe bide tevgera kurdan, me li her derê winda kiriye.

Ew qas serhildan û berxwedan li bakur çêbûn, hemî hatin tefandin. Serok û rêberên wan berxwedanan hemî bûne cangoriyê welatê xwe, hin bi dardekirin, hin jî hatin kuştin. Kesên mane jî hemî bi darê zorê hatine koçkirin. Ji welatê xwe hatin derxistin. Niha hêviya hemî kurdan di vir de ye. Bi serketina vî şerê ku dê li rojhilat bibe dê bibe rohniyek ji bo tevan kurdan. Lewma em jî dixwazin weke pêşmêrgeyên te tevî vî şerê azadiya gelê xwe bibin.

Qazî Mihemed tenê guhdarî dike. Guhdarî dike bê ev xortê delal, kezebşewitiyê gelê xwe çiqas rast dibê. Qazî her dixwest tenê ew qise bike. Lê piştî Barzanî axaftina xwe diqedîne bi awayekî bi hurmet dixwaze serokê serhildana Rojhilatê Kurdistanê Qazî Mihemed guhdarî bike. Bê ka ew ê jê re çi bêje. Qazî çend caran serê xwe hejand û hinekî di berxwede mizmizî, li Barzanî nerî û got:

- Bijî xortê çeleng, zîrek û jêhatî. Belê hemî gotinên te rast in. Ez li gel wan im. Hêviya hemî kurdan niha maye vir. Ji bo azadiya vir jî divê em hemî li gel hev bin. Dijmin mezin û har e. Em kêm qawet in, lê bi bawerî ne. Heta ev bawerî bi kurdan re hebe wê serketin ya me be. Ev welat yê me tevan e. Kerem bike pêşmêrgeyên xwe agahdar bike û sibê hûn jî dikarin tevli şerê azadiya welatê xwe bibin.

Tolgaya rûs, pîra me ya niha. Çend caran serê xwe hejand, kevte nava xem û xeyalan. Çend hêsir bi ser rûyê wê daketin, hêsirên xwe paqij kirin û got:

- Te kul û derdên min tev rakirin, te bîrîna min tevda. Lê madem tu jî ji bo ku xizmeta miletê xwe bikî, te zar û mala xwe hiştine. Tu li welatê xwe yê azad bûyî mêvan da ku tu serpêhatiya Enfaliyan binîvîsî. Lê ez dizanim ev karê tu dikî karekî pîroz û pêwîst e. Kurd divê êdî binivîsînin. Hemî jiyana miletê xwe. Serpêhatî û berxwedanên xwe binivîsînin. Dîrokekê ji nivşê pêş re bihêlin.

Nebiserketin û windakirina şerên xwe bêjin. Ev çi qas bê gotin û nivîsandin ew qas wê Kurdistana azad bi pêşkeve. Ji ber vê yekê ye ez ê çi tiştên dizanim bi qasî bêne bîra min ji bo te bêjim. Wan binivîsîne bila cîhan jî bizane heta başûrê welatê me, ev azadiya niha bi destxistiye, bê çi dîtiye û kişandiye, gelê kurd çawa xwe gihandiye vê rojê. Di nava vê xebatê de Barzaniyan çiqas zor û zehmetî dîtiye, divê bê zanîn. Divê miletê kurd bizane armanca Barzaniyan tenê azadkirina gelê wan û axa Kurdistanê ji bin nîrê dagirkeran derxistin bû. Îro ew daxwaza wan pêk hatiye lê hê temam nebûye. Şerê mezin û giran piştî azadiyê ye.

Te bi vê xebata xwe hem derdê min tev rakir û hem jî tê dîrokekê ji gelek aliyên xwe di tariyê de maye derxî ronahiyê. Ji ber vê yekê ye kêfa min tê ez zanînên xwe, tecrubeyên xwe, dîtinên xwe ji bo te bêjim. Tiştên bûme şahid ji bo te vebêjim. Wan bi zimanekî xweş binivîsîne. Kurd û bi taybet jî xortên Barzaniyan divê êdî binivîsînin. Çawa Barzaniyan her serkêşaya hemî şerê azadiyê li başûr dikirin û azad kirin. Divê ji niha û pêde ew şerê azadiya welatê xwe bi qelemê bidin. Ji ber şer û pevçûnan heta niha ew mecal çênebibe jî divê êdî ciwanên Barzaniyan bi qelemên xwe jî pêşevaniya gelê xwe bikin.

Pîra me bi van gotinên xwe dixwest mesajekê bide ciwanên Barzaniyan. Wê dixwest bide zanîn, îro şer şerê qelemê ye. Ji ber wê gelek şer û pevçûn dîtibûn. Wê gelek serîhildan û berxwdanên kurdan bihîstibûn. Ji ber ku ew yeka zana û têgihiştî bû. Lewma wê her daxwaz dikir, xortên Barzaniyan qelemên xwe xurt bikin. Bi destê xwe yê rastê ew hêsirên xwe paqij kirin. Deng li bûka xwe Safiya kir û got:

- Safiya keça min, hela ka ji me re hin av bîne. Wextê me teng û tiştên em ê bêjin gelek in. Ev camêr yanî kurê min Samî yê ji bo nivîsandina romana Enfaliyan hatiye bila wextê wî vala derbas nebe.

- Pîrê hema va ye ez avê tînim û min ji bo we çay jî daye ser êgir û axaftina xwe domand û got; Pîrê ma em êvarî ji bo mêvanê xwe çi çêbikin?

Xuyabû vê carê pîrê ji bo bûka xwe ya gotina 'mêvan' aciz bûbû. Ji ber ku êdî wê Samî jî weke endamekî mala xwe dizanî û dihesiband. Lewma bi awereke hinekî hişk li bûka xwe nêrî û got:

- Safiya keça min, ev camêr êdî ne mêvan e. Ew xwediyê vî welatî û yek ji endamê vê malê ye. Em divê wî wiha bizanibin, binasin. Divê em qîmeta wî baş bigirin û bi her awayî alîkariya wî bikin.

Piştî ava ku Safiyayê anî û pîrê çend qurt lê dan, cihê xwe xweş kir û got de kurê min ka em li ku mabûn û em çawa îro dest bi karê xwe bikin.

- Pîrê Barzaniyan jî li gel birayên xwe yên rojhilatê welatê xwe azad kiribûn. Divê tu ji wir û pêde dest pê bikî.

- Haaatemam kurê min hat bîra min. Ez êdî pîr bûme, dibe hin tişt neyên bîra min. Tu bawer bike kurê min ji roja me dest bi vî karî kiriye êdî ez bi şev û roj difikrim û dixwazim wê jiyana em Barzanî jiyane hemiyê ji bo canabê kurê xwe vebêjim.

- Pîrê te got em Barzanî. Tu rûs î, ma qey tu jî bûye Barzanî? Bi ken got Samî. Lewma pîrê jî hinekî keniya û got:

- Kurê min wele ez Barzaniyeke wisa me, ez tu kesekê bi qasî xwe Barzanî nabînim. Ez bi wî re li serê çiyan mam e. Min li gel wî axaftiye. Ez bûme şahidê wî û gelek berxwedanên wî. Her wiha ez bûme şahidê helwest û berxwedana wî ya ji bo azadiya welatê wî. Ka niha em vê bihêlin û ji cihê em lê mabûn karê xwe bidomînin.

Belê kurê min; Mistefayê zilamê min wiha gotibû. Weke aniha tê bîra min. Wî digot: “Rojhilatê Kurdstanê bi rêberiya Qazî Mihemed hatibû azadkirin. Lê vê azadiyê hemî dijminê gelê xwe aciz û xemxwar kiribû. Ew hemî bi hev re ketibûn nava lez û bezekê da ku wê têk bibin. Û her wiha ew Komara Kurd li Mehabadê di yeksaliya xwe de bi destê hemî dagirkerên Kurdistanê û hin dewletên xarîc têk çû.

Piştî têkçûna Komara Kurdistanê, farisan xwestin rêberê wê Qazî xwe teslîmê wan bike. Ya na wê gund û bajarên Kurdistanê bi ser hev de xerab bikirana. Wê qetlîamek, komkujiyeke mezin bianiya serê kurdan. Wê hemî Kurdistan bişewitandina. Dijmin gelek xeter bû lewma Qazî tê gihişt, heger ew xwe teslîm neke, miletê wî dikare bi yekcarî têk here.

Ji ber vê xezeba dijmin bû, wî biryar da ku xwe bike qurbana gelê xwe. Lê di hevdîtinên wî û Barzanî de her Barzanî jê re digot: "Birêz Qazî tu ji me mezintir û zanatir î. Lê xwe teslîmî farisan neke. Ew bêbext in û ne li ser soza xwe ne. Wê te bikujin ya jî bi darvebikin. Ka em derkevin ser çiyayên Kurdistanê heta me mecaleke nû dît. Em ê dîsa şerê xwe yê azadiyê bikin." Belê Qazî digot: "Tu jî rast dibêjî. Lê tu bawer bike kesek bi qasî min farisan nasnake. Heger ez xwe teslîm nekim wê miletê me yê vir hemiyan qir bikin. Wê hemî gund û bajarên kurdan bi ser wan de hilweşînin. Lewma ez mecbûr im xwe bikim qurbana miletê xwe. Heger ez çûm jî wê kesên li dû min rabin vê tolê ji wan hilînin."

Barzanî gelek xemgîn bû, wî nedixwest ku serokekî weke wî zana xwe bide destê dijmin. Barzanî dijmin baş dinasî lewma tu caran bawerî bi wan nedianî. Lê wî çi kir nebû. Qazî carekê biryara xwe ya teslîm bibe dabû. Veger ji bo wî tune bû. Li ser vê yekê êdî Barzanî jê re got:

- Serokê min, ez tu caran baweriya xwe bi yek dijminê gelê xwe naynim. Lewma bi destûra te be ez ê pêşmêrgeyên xwe bigrim û em ê ber bi Sovyetê de herim. Li gor tê gotin; Sovyet alîkariya miletê mezlûm dike. Em ê jî herin xwe bavêjin bextê wan. Heger li me xwedî derketin û me bi saxî û selametî xwe gihand heta wir, êdî ez dizanim, em ê çi bikin.

Divê em her şerê azadiya welatê xwe ji nû de bikin. Heta em welat azad nekin wê kurd her jar û bindest bin.

Qazî dîsa weke cara yekem, Barzanî guhdarî kiribû. Heman wisa lê guhdarî dikir. Kêfa wî gelek jê re dihat. Piştî Barzanî axaftina xwe qedand, sekînî ku Qazî jê re tiştekî bêje. Qazî mizmizî, bi wecekê xweş û devliken berê xwe da wî û got:

- Xortê delal, tu dîsa weka cara ewil ya me hevdu nasî bû qise dikî. Ez baş dizanim, tu çi û çawa difikirî. Ez bi te bawer im tê rojekê welatê xwe azad bikî. Lê xwe qet nede destê dijmin. Tu ya min bipirsî ez xwe dikim qurbana miletê xwe. Heta bîrû bawerî bi te û hevalên te re hebe, hûnê bi ser kevin. Here ez ê jî ji rebê alêmê re dua bikim, bi rêberiya te, tu welat azad bikî û tola hemî cangoriyan ji dagirkeran hilînî. Plan û rêya te ya niha got rast e. Ji bilî çûyina Sovyetê tu çare ji bo we tuneye. Bi têkçûna rojhilatê Kurdistanê hemî dijmin wê li me, li we bêne xezebê. Oxira we ya xêrê be. Hay ji xwe hebin. Tirk gelek barbar û xeter in. Dema hûn di sînorên wan re derbas bûn gelek haydarî xwe bin.

Kurê min ez ê wesitiyeta xwe ya talî li te bikim û diyariyekê jî bidim te. Wesiyeta min ev e, tu caran bi dijminê gelê xwe baweriyê neyne û tu caran xwe nede destê wan. Ji gotinên wan jî qet bawer neke.

Piştî axaftina xwe, Qazî di nava pacekî paqij de ala Kurdistanê derxist û dirêjî Barzanî kir û got:

- Kurê min kerem bike ev ala Kurdistanê ye. Ez vê diyarî te dikim ku hûn rojekê wê li ser çiyayên Kurdistanê bi cih bikin. Bila ev ala hêja xwe li ser çiyayên Kurdistanê yên azad bihejîne. Wesiyeta min ev e û daxwaza min jî ji te ew e ku vê biparêzin û dema we Kurdistan azad kir, bila her malek bibe xwedî alekê, bila hemî çiyayên Kurdisanê bi vê alê bêne xemilandin. Bila cade û kolanên Kurdistanê bi vê alê bêne dagirtin. Aha wê demê hûnê tola me hilînin, got, destê Barzanî girt çavên wî maçî kir û bi dengekî nizm, de herin kurê min oxira we ya xêrê be.

Dema Qazî wiha digot; Barzanî hew dikaribû xwe bigre. Hêsirên wî her wekî barana payizê diherikîn. Ji ber ku wî dizanibû ku farisên hov dê wî bikujin. Lewma Barzanî nema dikarîbû zêde qise bike. Destê pêşevanê xwe maçî kir. Xatirê xwe jê xwest û derket.

Piştî hevdîtina Qazî û Barzanî, êdî wî jî dizanî ku rewş gelek xerab e. Sekna wan ya li rojhilat êdî di xeterê de bû. Tenê rêyek ji wan re xuya dikir. Tenê rohniyek hebû divê wan xwe lê bigirtana. Ew jî çûna Sovyetê bû. Lê çawa? Divê wan xwe bi meşê bigihanda wir. Rê jî ne tu rê bûn. Ew mecbûr bûn di sînorên Îran, Iraq û Tirkiye de biketana rê û heta wir biçûna. Dê çend kes ji wan di rê de bibûna cangorî ne diyar bû. Wê çend şer di navbêra wan û dijmin de derketina nedihat zanîn. Lê dîsa jî li gel hemî zor û zehmetiyan, wan biryara çûyinê dan.

Barzanî tu car ji dijmin bawer nedikir. Lewma jî ji bo ku ew bikaribin rojekê dîsa serî li hember dijmin rakin, çare di reva ber bi Sovyetê de dîtibûn. Lewma wî ev daxwaza xwe ji kekê xwe Şêx Ehmed re jî got. Şêx Ehmed jî ev pejirand û got:

- Biryara ku te daye, biryareke di cih de ye. Lê tu

dizanî, divê em malbatên xwe ji rojhilatê Kurdistanê derxin. Me şer winda kir. Piştî vê jî wê talanî û qetlîam destpê bikin. Ji ber vê ez biryara te dipesînînim. Lê berî ku hûn bi oxira xwe de herin, divê em malbatan bigihînin Iraqê. Diyar e, piştî Qazî xwe teslîm bike, dê wî darvekin. Faris gelek har û bêbext in. Piştî wê jî dê dest bi wêrankirinê bikin. Dê malbat û eşîrên beşdarî şer bûne yek bi yek ji holê rakin.

Barzanî serê xwe hejand û got:

- Baş e kekê min. Divê em destê xwe zû bigirin. Da ku berî qetlîameke mezin bibe, em malbatan li gel te bigihînin Iraqê ango başûrê Kurdistanê û dûv re em ê bi rêya xwe de herin. Çûyîna me û ne teslîmbûna me bi xwe jî wê tim tirs û xofekê bixe nava dijmin. Ew ê her hesaba me bikin.

Barzanî û kekê xwe Şêx Ehmed, malbatên xwe hemî derbasî Iraqê kirin. Barzanî jî li gel hevalên xwe cara dawî civîneke berfireh li gundê Ergoşê amade dike û li wir ji wan re diyar dike ku ew ê ber bi Soveyetê de herin. Ji vê pê ve tu çareyeke wan jî tune. Hin hevalbendên wî vê yekê wekî xeyalekê dibînin û bawer nakin ku ew ê bikaribin heta Sovyetê di sînorên dijminên xwe de, xwe bi saxî bigihînin wir. Lewma qederê 50-60 kesan vê biryara Barzanî napejîrînin û ew bi şunde li Iraqê vedigerin. Dema Barzanî vê yekê dibîne, ji cihê xwe radibe ser dereke hinekî bilind û ji bo kesên li wir civîyan e wiha dibêje:

- Gelî heval û hogiran, birano! Me kurdan çawa li bakur û li başûr winda kir, li rojhilatê Kurdistanê jî em qederê salakê li ser nigên xwe sekînin. Hemî beşerên dinyayê li me hatine xezebê. Sekina me êdî li vir nemaye. Ez bi Qazî re peyivîm, ew ê jî xwe teslîmî dijmin bike. Wî got; ew ê xwe ji bo gelê xwe bike qurban. Heger ew xwe nede dest, wê dijmin qetlîameke mezin bike. Her çiqas min got xwe teslîm neke jî wî got nabe.

Niha em pêşmêrgeyên vî gelî, bi tena xwe mane. Ji bo me jî du rê hene. Ya em ê li vir bimînin, wê dijmin me jî bikuje. Ya jî em ê xwe nedin dest û em ê ber bi welatê sovyetê de herin. Me malbatên xwe jî bi sax û silametî derbasî Iraqê kirin. Şêx Ehmed li gel wan e. Lewma jî tu çareyeke me ya din nemaye. Li gor gotinê Sovyet xwedî li kesên mazlûm derdikeve. Ma ji me mazlûmtir xelk li vê dinyê maye? Îcar min jî biryar daye, em ber bi Sovyetê de herin.

Rêya me wê gelek bi xeter be. Ji kîjan dagirkerên miletê me bizanibin, em di rê de ne wê li me bidin. Dibe ji me gelek di rêde bibin cangoriyên welatê xwe. Dibe em hemî jî bêne kuştin. Ya em ê xwe bidin îspatkirin ku em xwe nadin destê dijmin û em ê kar û xebatê bikin heta mecal çêbû em ê vegerin welatê xwe û şerê azadiya gelê xwe bikin. Ya jî em ê xwe teslîm bikin da ku wê doza gelê me bi temamî têk here. Rê û biryara me zor û zehmet e. Heger hinên din jî hebin ku naxwazin li gel me werin. Heqê wan e ew jî vegerin. Kî dixwaze vegere û kî wê li gel min bê da ku em xwe bigihînin Sovyetê. Divê herkesek bi rehetî, bi azadî biryara xwe bide. Îro herkes xwedî biryara xwe ye.

Piştî vê axaftina Barzanî deng ji kesekî derneket. Yanî gengeşî li ser gotinên wî nekirin û hemî bi yek dengî qêriyan û gotin: “Em li gel te ne. Em ê li gor biryarên te tevbigerin. Tu li ku bî em li wir in. Kêfa

Barzanî ji vê yekê re hat û bi ken li wan vegerand û got:

- Heta hûn wiha bin, heta em ji gotinên hev dernekevin, heta çirûşkên azadiyê di me de hebin, em ê rojekê bi ser kevin. Lewma jî wê tu car dijmin me kurdan bi temamî tune nekin û nikarin jî. De oxira me hemiyan li ser xêrê be. Xweda alîkariya me hemiyan bike.

Kesên Barzanî dabûn hev nêzîk 600 xortên çeleng û pêşmergeyên Barzaniyan bûn. Hemiyan jî bê ku tiştekî taybet bêjin biryara Barzanî erê kiribûn. Lê bi erêkirina wan re çend dengên nerazîbûnê jî derketibûn. Lewma kesên ev biryar nepejirandin li malên xwe vegeriyan. Barzanî li gel 512 çelengên xwe, çekên xwe hilgirtin û bi deng gotin: "Em li gel serokê xwe, serok Barzanî ne. Ew li ku be em jî li wir in. Mirin hebe, girtin hebe em ê bi hev re bin." Kêfa Barzanî ji vê re gelek hatibû ku wî bi tenê nahêlin. Wê rojê biryar hate girtin sibê êvarî derkevin rê. Ji ber wê derketina rê Barzanî axaftineke din kir û got:

- Sipas ji bo we û vê biryara hêja. Dibe ku ev rêwîtiya me bibe sedem em rojekê welatê xwe azad bikin. Bila dijmin baş bizanibin em kurd heta welatê xwe azad nekin, em ê xwe nedin destê wan. Bijî hûn û bijî kurd û Kurdistan. Em ê sibê êvarî derkevin rê. Kesên naxwazin bên jî azad in. Ez ê bi xwe herim û xwe nadim destê dijmin. Kî tê bila baş bifikire û biryara xwe bide. Dibe ku di vê rêwîtiyê de em kesek sax jî nebînin.

Lê êdî çeleng û qehramanên gelê xwe hemî li gel serokê xwe bûn. Wan ew bi tenê nehişt û Barzanî jî ew. Bi vî awayî roja din wan dest bi rêwitiya xwe kirin. Ma dijmin tu caran rehet disekinin? Na. Her ew jî li van pêşmêrgeyên qehreman digeriyan da ku wan tune bikin û doza gelê kurd têk bibin. Weke tê gotin, "av radizê lê dijmin ranazê." Lewma jî dijmin her li Barzaniyan digeriyan. Ma tenê Îran? Ango faris bi dû wan de bûn. Na, bavo na, Tirk û Iraq jî her yek ji wan di cepheyekî de bi dû wan ketibûn.

Ji xof û tirsa girtin an kuştinê, wan xwe bi roj vedişart û bi şev jî diketin rê da ku xwe bigihînin Sovyetê. Wan û serokê wan Sovyet ji xwe re weke cihê xelasiyê dîtibûn. Serok Barzanî her tim şîret li pêşmêrgeyên xwe dikir û digot, 'dema em xwe bigihînin Sovyetê divê hûn tiştên ne li rê û ne qanûnî û xerab nekin.' Wî tim digot: 'Divê em bi başî, rastî û durustiya xwe, xwe bidin îspatkirin ku doza me heq e. Lê em bê kes û bê xwedî ne. Piştî me xwe gihand vir û îmkan ji bo me çêbibin, bila kesên ciwan bixwînin, yên weke me jî divê em kar bikin. Em kar û haziriya xwe bikin ji bo rojekê li welatê xwe vegerin. Divê em bi xwe re xayîn nekevin. Çi dema me rehetî jî bi dest xist, divê em welatê xwe û zilma dijmin jî ji bîr nekin. Em ê her vegerin lê heta çi demê, em ê li rewşê binêrin.

- Belê kurê min. Piştî wan gotinên wî ez bi xwe jî bûbûm keseke kurd. Min ji wê rojê de sond xwar, ez bikarim bi çi awayî û bi çi rêyê alîkariya kurdan bikim, ez ê texsîr nekim.

Belê pîra me wiha got û bi berdewamî axaftina xwe domand. Ez îro westiyam. Hem jî te derd û kulên min ji nû de tev dan. Te ez birim dema keçîniya min.

11

"Erê felekê ma tu çi ji kurdan dixwazî. Ji roja ku welatê wan dagir bûye û heta niha, her di nava şeran de ne da ku welatê xwe azad bikin. Lê her wan winda kiriye. Çima gelo? Sebebê vê çî ye? Ma gelo rast e, nifir li wan hatiye kirin û tê gotin heta dinya hebe wê kurd nebin xwedî dewlet? Erê rast be, çima? Ma kurd jî ne evdên Xwedê ne? Ma kurd jî ne mexlûqên vê dinyê ne? Çima herkes dibe xwedî dewlet û welatê xwe azad dike. Kurd nikarin vê bikin. Erê gelo çima? Û çima? Heger ji ber nexwendin û nezaniyê be, dijmin ew firset nedaye wan da ku bixwînin. Heger ji ber wêrekî û mêrxasiyê be kêm milet weke wan hene. Lê çima ew tim wiha perîşan û koçber in.

Erê felekê erê! Ma tu ji kurdan çi dixwazî? Gelo çi xereza te bi wan re heye? Gelo çi hesabên te li gel wan hene? Gelo kurdan çi tade û zerar gihandiye te? Gelo û gelo... Çavên te kor bin felekê, tu nahêlî kurd rehet bin, azad bin û weke mirovan li ser erda xwe bi serbestî bijîn. Erê felekê, te berê kurd kirin du parçe û her parçak xiste bin destê dijminê har û xwînrêjên Faris û Osmaniyan. Dûv re te ew kirin çar parçe û herdu parçên nû jî kirin bin emrê erebên Iraqê, Sûrî. Lê divê tu baş bizanibî felekê. Wê roj bê kurd jî weke her miletekî xwe bigihînin azadiya xwe. Wê rojek bê kurd dê bi demokrasiyeke delal hem xwe hem jî dijminê xwe îdare bike. Ew roj ne dûr e. Kurd medenî ne, kurd ji dîrokek kevn in. Her çi qas niha bindest, jar û perîşan jî bin, wê roj bê, kurd dê bi azadî bijîn. Erê felekê erê, ev çi gir e te ji kurdan girtiye. Tu çi dawê li wan dikî?

Ma ne bes e êdî? Ma kurd de wiha koçber û bindest bin? Lê felekê tu bawer bike, ev pêşmêrgeyên ji ber zilma dijmin reviyane û xwe avêtine bextê Sovyeta ku alîkariya her neteweya dinyê dike, lê kurd li vir jî perîşan bûn, wê rojekê vegerin û welatê xwe azad bikin. Tu dikarî wan li wir jî yanî li Sovyetê jî rehet bernedî. Dibe ku tu wan li wir jî bi êş û azarê bidî jiyandin. Ma ne bes e êdî felekê? Ka bêje çi dijminatiya te bi kurdan re heye? Çima tu nahêlî ew jî azad bibin?"

Dengekî nizm ji kûr hat û got:

"Erê ma min çi kiriye? Erê ma çima ez nahêlim kurd azad bibin? Erê ma çima tu her tiştê xerab dixî hustiyê min? Ka carekê li rewşa xwe binêrin. Ka carekê li tevgera xwe binêrin. Binêre û bibîne bê çi qas xaîn di nava we de hene! Çima tu ji wan napirsî bê ew çima dijminatiya gelê xwe dikin? Çima tu li hemberî wan ne bi kîn û rik î? Hêrsa te ya li hember min ji bo çi ye? Xwe paqij bikin. Bi hev re rast bin. Bi durustî kar bikin. Hûn ê jî azad bibin. Lê hûn vê nakin. Yekî baş di nava we de derdikeve, deh kes nig davêjin ber. Hin jî doza azadiya gelê xwe dikin. Lê hin ji we jî li ba dijmin şerê birayê xwe dikin. Hin ji we ji bo kurd û Kurdistanê can û malê xwe didin. Hin jî ji bo pere û hebûna malê dinyê we û welatê xwe difroşin. Ma ez çima nahêlim hûn azad bibin?

Ka carekê li rewşa xwe, li malbat û eşîrên xwe bifikirin. Ka carekê dîroka xwe berçav bikin. Ma li ku hatiye dîtin birazî ji bo berjewendiya xwe ya şexsî serê apê xwe yê serokê tevgera kurd jê kiriye? Ma li ku hatiye dîtin du bira yek ji bo azadiyê yê din ji bo peran li hemberî hev şer dikin? Ma di vir de çi gunehê min heye? De ka li xwe bifikirin û gunehê min hilnegirin. Hûn xwe bi xwe bi hev re ne rast û durust in. Kes ji we naxwaze hev rakin. Aha sûcê we ev e.

Kêmaniya we ev e. Hûn bi hev re ne rast in. Hûn li hev guhdarî nakin. Hûn bi hev dikevin û dijmin li ser serê xwe dikin axa. Ma ev jî gunehê min e? Ma ev jî sûcê min e? Xwe rast bikin. Bi hev re durust bin. Ji hev hez bikin. Hûn ê jî azad bibin. Ez jî soz didim dema hûn van bikin ez ê jî bi we re bim."

Êdî li gel zehmetî û nexweşiyan, Barzaniyan li gel çend nexweş û hin birîndaran, xwe gihandin Sovyetê. Barzanî ji wan veqetand û birin Nahçivanê. Yên din jî kirin kampekê li dora wan têlên dirinî pêçen û ew xistin bin kontrolê. Muamela hêsîran bi wan kirin. Lê piştî çend rojan dema Barzanî li gel çend generalan diçe kampê û rewşa hevalên xwe di kampê de dibîne. Dibîne ku ew di rewşeke gelek xerab de dijîn. Lewma daxwaz ji generalan dike ku rewşa hevalên wî baş bikin. Li ser daxwaza wî, têlên li dor kampê tên rakirin. Rewşa wan hinekî baş dikin îmkan û xwarina wan zêde dibe.

Belê Barzanî li vir qederê çil rojan dimîne. Piştre wan dibin komara Azarbeycanê li wir jî wan li kampên Agdan, Laçîn û Ayvulagê belav dikin. Barzanî jî li gel hin hevalbendên wî dibin bajarê Şuşê. Barzanî li ser rewşa xwe û hevalên xwe çend nameyan ji Stalîn, Bakirov û îdareya Azerbeycanê re dişîne û sebeba hatina xwe û pêşmêrgên xwe ji bo wan şîrove dike. Piştre Barzanî û Bakirov hevdu dibînin dûr û dirêj qise dikin. Lê mixabin li her derekê kekî dijminê kurdan derdikeve. Wiha xuya ye ev jî qedera wan, yan jî bêşansiya wan e.

Li bakurê Kurdstanê Ataturk û Îsmetê ker, li Îranê Şah, Mela, li Sûrî Şukrî Qiwetli û Hafis Esad li Iraqê Ehmed Hesen Bekir û Seddam Husên, li Azerbeycanê Bakirov û li Ozbekistanê jî Yusufov. Ev çi hal e, ev çi hewal e. Tu dibêjî qey li vê dinyê agir li kurdan bariya ye û dibare. Dostek ji wan re peyde nabe û li her derekê dijmin li wan zêde dibin, dijmin ji wan re peyde dibin. Lewma jî li Sovyeta ku mafê mirovan û heqê kêmneteweyan diparaze, kurd weke tu milet û kêmnetewe jî nedihesibandin. Mirov digot belkî li wir kurdan li hemberî wan şer kirine. Lewma jî Sovyetê êş û azarên mezin didan wan.

Li Azerbeycanê Bakirov dixwest Barzanî bikeve bin emrê wî. Wî dixwest ew emir bide Barzanî û hevalên wî, lê Barzanî weke tu caran serî ji kesekî re dananî bû, wî ev helwesta xwe li hember Bakirov jî pêk anî û got: “Heval Bakirov em nehatine vir da ku tu me tehdît bikî. Heger ez ji tehdîtan bitirsiyama te ez li vir ne didîtim. Em hatine vir dengê gelê xwe yê mezlûm bigihînim Soveyeta ku mafê neteweyan diparêze. Lê em ê di her hal û rewşê de şexsiyeta xwe biparêzin. Em serê xwe ji tehdîtên tu kes û miletan re danaynin. Divê tu vê bizanibî. Em xelkekî serbixwe ne û ne parçeyek ji Azarbeycanê ne.”

Lê mala rastiyê bişewite. Li dewleteke serdest gotinên wiha kî dikare bike. Belê tenê Barzanî dikaribû bigota û got. Lê ma wê Bakirov ev ji wî re bihişta! Wê rehetî neda wan. Ev gotinên Barzanî gelek li zora wî çûbûn. Li ser vê Barzanî ji desthilatiyê daxwaz kir, wan ji Azerbeycanê rakin. Vê carê berê Barzaniyan ber bi Ozbekistanê vekirin. Li wir jî di kampan de bi cih kirin. Lê wê demê destê Bakirov dirêj bû. Lewma li wir jî rehetî neda wan. Li Ozbekistanê jî yekî weke Îsmetê ker li wan derket û ew hevalbendê Bakirov, Yusufov bû. Bakirov li wir jî rehetî neda wan û bi destê hevalbendê xwe Yusufov ew ji hev bela wela kirin. Berê Barzanî, ji hevalbendên wî veqatand. Dûv re jî kesên din hemî li trênê siwar kirin. Her ku trên li cihekî disekinî wan vagona tijî pêşmêrge li vir datanîn. Bi vî awayî heta tirênê xwe gihand cihê dawî tenê vagona pêşiye de hin Barzanî mabûn û ew jî li wir danîn. Êdî Barzanî ji hev hatibûn belavkirin û kesekî nema dizanibû çi bi yên din hat.

Piştî van gotin û axaftinan, Tolga û Mistefa jî gelek aciz bûbûn. Hem Mistefa ew êş û azarên dîtibûn yek bi yek hatin bîra wî. Hem jî Tolga weke keçeke rûs, weke miroveke rûsî ji ber van kirinên dewleta wê anîbû serê kurdan, şerm kiribû. Tolga gelek aciz û tûre bûbû. Gotinên Mistefa weke tîrekê bi ser dilê we de çûbû. Lê wê dê çi bikira. Bi tena serê xwe jinek bû. Her ji wê rojê û pêve her wiha Tolgayê gelek serpêhatiyen din jî ji Mistefa guhdarî kiribûn. Kurd û Kurdistan baş nasî bû. Kîn û nefreteke wê jî li hember dagirkerên Kurdistanê çêbûbû. Êdî wê jî dixwest alîkariya Mistefa bike. Xwedî li wî kesê bê xwedan derkev e.

Pîrê kete rewşeke xerab lewma li Samî nêrî û got:

- Belê kurê min. Piştî wan gotinên wî ez bi xwe jî bûbûm keseke kurd. Min ji wê rojê de sond xwar ku ez bikarim bi çi awayî û bi çi rêyê alîkariya kurdan bikim, ez ê texsîr nekim.

Belê pîra me wiha got û bi berdewamî axaftina xwe domand. Ez îro westiyam. Hem jî te kulên min tev nû kirin. Te ez birim dema keçîniya min. Ka îro bes e. Ez nema dikarim biaxivim. Îşev westa xwe bigirim. Pîra te heta sax be wê hemî tiştên dizane, dîtine û bûye şahid, ji te re yek bi yek bibêje.

Pîrê rabû ser xwe derket derve hinekî bi wî halê xwe yê westiyayî meşiya, di hundirê hewşa fireh de çû û hat. Ket nav xem û xeyalan. Lê her çavên bûka wê û neviyên wê lê bû ku ew nekeve…

“Erê felekê; tu dibêjî qey hemî dinya ji bo kurdan bûye Dêrsim, te digot belkî ev der jî Dêrsim e. Te digot belkî tirkên ku dixwestin kurdan ji hev belav bikin, li vir in. Çawa li Dêrsîmê dema kurdan şer winda kir, koçkirinek mezin destpêkiribû. Xelkê wir ji gundên wan, ji bajarên wan, bi trênên ku tenê ji bo heywanan bûn, siwar dikirin û her vagoneke trênê li derekê didan sekinandin. Kesên di wê vagonê de li wir datanîn û trênê rêya xwe didomand heta dora vagana pêşî dihat û ew jî li wir berdidan.

Ev li Sovyeta ku mafê mirovan, heqê neteweyan diparst jî pêk hatibû. Ma gelo Sovyet û tirkiye yek bûn? Ev çi felek û bobelat in ku em kurd rû bi rû dibin? Ma gelo tirkan li gel Sovyetê têkilî danîbûn û dixwestin tiştê wan anîne serê kurdan, Sovyet jî bîne serê wan? Ya na ev çi hal e. Ji hev belavkirina Barzaniyan ya li Sovyetê û kurdên li Dêrsimê çawa qedera wan dibe weke hev. Herdu alî jî bi tirênên ne baş, bê hewa û xerab bêyî haya wan ji hev hebin, her hinek li derekê têne danîn. Hey hawar! Ma qey kurdbûn li dinyê qedexe ye? Ma qey hemî dinya niha dijmênê kurdan e? Ma qey li her derê hukmê faris, tirk û ereban derbas dibe? Hey hawar û hezar caran hawar!”

Îro Samî ji her carê zûtir ji xewa xwe şiyar bûbû. Te digot belkî ew xew ji bo wî êdî tahl e. Heta wî carna xwe bi xwe digot; ‘xwezî xew tune ba.´ Ji ber ku li karê xwe dilezand. Wî dixwest di zûtirîn demê de pîra xwe guhdarî bike da ku ji bo çi, ji ber çi sedemê mesela Enfalê pêk hatiye, derxe holê. Da bizanibe çi qawet û hêz bi wan Barzaniyan re bû ev nêzîkê sed salan e her ew ji bo azadiya welatê xwe di nava kar û xebatê de ne. Di nava şer û pevçûnê de ne.

Samî dixwest zû fêr bibe gelo çima dagirkerên Kurdistanê hemiyan bi hev re dixwestin Barzaniyan ji holê rakin. Lewma wî dilezand ne dixwest razê da ku van ji şahideke zîndî fêr bibe. Ji ber ku Samî bi tirs bû, wî dest diavêt çi karî ew têk diçû. Lewma ew ditirsiya berî pîrê van serpêhatiyan bêje, tiştek pê bê. Temenê pîrê mezin bû. Pîrê gelek êş û azar dîtibûn. Pîrê şahidê gelek bûyer û kiryaran bû. Lezandina Samî ji ber vê bû. Lewre xew nediket çavan.

Ji ber vê bû sibê hinekî zû rabû. Te digot qey ew rabûye hema wê yekser here mala pîrê. Lê na. Li gorî li hevkirina wî û pîrê dema wan û hevdîtinê her roj piştî nîvro bû. Ji ber ku piştî firavînê adet bû li Bilê herkes razê. Lewma Samî ne dixwest di dema razana pîrê de here wir. Heta pîrê ji xew radibû, dem dibû dema êvarê. Wê demê hawa jî hinekî hênik dibû. Ji ber ku li başûrê Kurdistanê û li devera Barzan havînan gelek germ e. Di wê germê de kesek nikare derkev e û rûniştvanên deverê hemî radizan.

Samî di nav wan xem û xeyalan de dîtina dît seat danzde ye. Belê ev seat, seata wî ya çûyina xwarinê bû. Wî compîtûra xwe girt. Şimika (terlik) nigê xwe derxist. Pêlava xwe kire pê, deriyê xwe kilît kir û hêdî hêdî derket. Derket lê wî dizanîbû ew rêya her roj li ser, rêyeke nexweş e. Ji bo pariyek nan rojê saetekê di bin wê germê de dimeşiya. Lewre wî di berxwe de got: 'Ez ê dîsa weke şêtekî bi tena serê xwe û vê germê peya ber bi navçê ve herim ji bo pariyekî xwarinê bixwim. Wele êdî ez bi çûn û hatina heta navçê di bin vê germê de zivêr bûm. Ka bala xwe bidinê ji min pêve kes li derve heye.

Na. Yanî niha di vê nahiyê de ez bi tenê me' got. Lê dîsa li xwe vegerand. 'Samî lawo, tu nehatiyî rehetiyê. Tu nehatiyî kêfê. Tu nehatiyî kar û pere topkirinê. Te bi xwe biryar daye tê ji gelê xwe re û bi taybetî ji bo rêbaza Barzanî kar bikî. Sedema Enfalkirina heşt hezar zilamên wan binivîsînî. Tu hatiyî wê jiyana piştî Enfalê ya li devera Barzan bi çavên xwe bibînî ka çawa bû û çawa ye ûwê jiyanê binivîsînî. Diyar e di vê de tê tuşî hin zor û zehmetiyan bibî.´ Dîsa wî bi xwe bersiva xwe da û got: 'Belê rast e. Ez baş dizanim, Barzaniyan ji bo miletê xwe gelek zehmetî dîtine. Ji xwe di rêbaza Barzanî de jî yek ev xal heye, divê kesên ji welatê xwe hez dikin, bikaribin tehamula zehmetiyan jî bikin. Madem te biryara nivîsandina romana Enfalê daye divê tu qîma xwe bi hemî zehmetiyan jî bînî. Belê rast e. Ez jî qîma xwe tînim.'

Samî di berxwe de mizmizî, li dora xwe nêrî kesek tune ye. Lewma got; weh ma qey ez jî şêt û dîn bûme. Ma ka kesek tune ye! Gelo ez bi kê re dipeyivîm. Keniya û rêya xwe ya ber bi navçê de domand û dîsa xwe bi xwe got: 'Wele heta karê min biqede ez jî şêt ango dîn nebim wê baş be.

Samî hem bi temenê xwe mezin bû, hem jî ji ber girtin û lêdana polîsên tirkan lê kiribûn, hinekî nerehet bû. Li gel vê jî wî dixwest li gel hin kêmasiyan jî karê ku heta niha nehatiye kirin, bike. Wî dixwest bibe xizmetkarê gelê xwe, bibe xizmetkarê wê rêbaza ji bo kurdan welatekî azad anî ye. Her çiqas hinekî aciz bibe jî lê dîsa wî bersiva xwe da û got: 'Belê tu rast dibêjî, lê ma tu dizanî Barzaniyê nemir heta temenê jiyana xwe yê dawî di şikeftan de dima. Ma tu nizanî hemî wextê wî tenê ji bo azadiya gelê wî bû. Ma tu nizanî, li gel hemî kêmasiyan jî wî her kar û xebat dikir da ku welatê xwe azad bike.

Ew kesên dixwazin ji bo gelê xwe xizmetê bikin divê xwe amadeyî hemî zehmetiyan jî bikin. Ji ber vê ye kesên wiha li zor û zehmetiyan nafikirin. Ew difikirin wê çawa gelê xwe azad bikin. Madem tu jî bi karekî wiha ve rabû yî divê tu jî rêbaza Barzanî û felsefaya wî ji bo xwe bikî rê û rêbaz û karê xwe biqedînî. Guh nede zor û zehmetiyên niha. Li dû hemî zehmetiyan xweşî heye. Aha kerem bike niha kurd li welatê xwe azad dijîn. Bi salan bû ku kurdan ji bo mistek erd ew qas cangorî dan û Enfal dîtin. Lê parçeyekî welatê xwe azad kirin. Tu jî bê wes-tan karê xwe bike, Berhema xwe biqedîne. Pêşkêşî gelê xwe û raya cihanê bike da bila bizanibin Enfal çi ye û çima pêk hatiye?

Hêdî hêdî dema ber bi mala pîrê çûyinê hatibû. Samî êdî kiribû edet her car di heman wextî de li ba pîrê hazir bû. Ji ber ku wî nedixwest pîra xwe aciz bike. Dema xwe digihand mala wê, pîrê jî bi kêfxweşî pêşwaziya wî dikir. Te digot belkî pîrê jî ji berê de hazir e û hema kesekî bibîne û van tiştên pê dizane bêje.

Dema Samî xwe gihand mala pîrê, dît ew û bûka xwe bi tenê li mal in. Lê mirov dizanîbû pîrê bi hazirî li benda Samî bû. Çawa Samî kete hundir pîrê û Safiya ji ber wî rabûn û pîrê got:

- Kurê min ka were va ye min cihê te li hemberî xwe çêkiriye. Dema Samî rûnişt vê carê pîrê li Safiya nêrî û got:

- Keça min ka hela tu avê bo mamoste bîne dûv

re em dest bi karê xwe bikin. Bi qasî ez dizanim mamoste ecele dike ji bo ku vî karî biqedîne. Nizanim xêr e, çima wiha lez dike! Çi dema Samî li mal amade dibû, pîrê her ji bûka xwe Safiya re digot: "Keça min ka ava mamoste bîne û çaya me danê ser." Heger pîrê tu tiştek negota jî ev dihate kirin, lê pîrê jî ji xwe re kiribû adet tim vê bêje.

Samî keniya, lê wî nedixwest ya rastî ji pîrê re bêje da ku berî mirinekê hemî tiştên dizane, wan bûyerên qirêj yên ew bûye şahid wan tevan bêje. Lewma wî jî wiha got:

- Pîra delal tu jî dizanî, min terka mala xwe û zarokên xwe kiriye ji bo ku vî karî bikim. Ev kar çiqas zû biqede ez ê jî ew qas zû herim nava zarokên xwe. Kurê min pênc û keçeke min heft salî ne, ew hê zarok in, biçûk in. Lewma ew bêriya min dikin. Tu bawer bike pîra delal, heger ez bi rêbaza Barzaniyê nemir ne bawer bama, min niha dev ji wî karî berdabû û çûbûm mala xwe. Şert û jiyana min ya vir jî gelek zehmet e. Hin kes û kesayetî hene ku naxwazin ez vî karî bikim û beqedînim. Lê baş dizanim, kesên bi wê rêbazê bawer in divê zehmetiyan bibînin. Da ku piştî wan zor û zehmetiyan di xweşiyê de bijîn. Ma ne Barzanî jî ew kir? Ma ne bi saya wê rêbazê bû îro em xwedî parçeyekî erda xwe ya azad in? Ma Barzanî û pêşmêrgeyên xwe tu xweşî dîtin? Lê va ye hûn, em û hemî kurdên başûrê Kurdistanê bi azadi dijîn, weke miletê kurd em jî vê xweşiyê dijîn û xwedî parçeyekî erdê azad in.

Xuya bû vê gotinê tesîr li ser pîrê kiribû. Bi xemgînî got:

- Belê dinya wiha ye kurê min. Ez jî hin tiştan derheqê te de dizanim. Hazim rewşa te bi tevayî ji min re got. Hema bila ev der jî mala te be. Her roj were vir.

Samî nedixwst bikeve meseleyên şexsî. Lewma keniya û got.

- Pîrê tişt bê zehmetî nabin. Ya min jî wiha ye. Lê çi dibe bila bibe, kî dixwaze û naxwaze ez ê karê pê ve hatime bikim. Tenê meraq dikim gelo çima hin derdor astengiyê ji min re derdixin û naxwazin ez karê xwe bi rehetî bikim? Çima hin kes hene ji min aciz in ku min dest bi karekî wiha pîroz kirî ye? Lê ne xema min e pîra delal. Min carekê li ser mezelê nemiran sond xwariye, ez ê heta ji min bê bi vî karî ve rabin. Dibe hin kes ji karê min ne dilxweş bin. Lewma naxwazin û nahêlin hin alîkarî bigihije min da bikaribim karê xwe rehet bikin. Lê pîra min a delal ez ê vê bikim. Ez ê ne bi gotin lê bi kirina xwe vê bidim zanîn. Divê kesên bi bîr û bawerî çawa kar dikin, îspat bikim. Wê gavê dê van xêrnexwazên hene dê şerm bikin, dost û hezkiriyên min jî dê kêfxweş û şad bibin.

Belê pîra delal tu jî dizanî ku niha û çi dema bixwazim dikarim vegerim Ewropaya xwe. Dikarim li zarokên xwe vegerim. Lê ez vê nakim. Ez ê weke nivîskarekî gelê xwe, vê karesata Enfalê bikim roman ango weke berhemekê, weke belgenameyekê pêşkêşî gelê xwe û cîhanê bikim. Wê demê bila kesên niha naxwazin bi vî karî ve rabim, şerm bikin. Ez baş dizanim, ji bo zarokan bav tê çi wateyê.

Lê ka gelo bavên zarokên vê deverê wê li wan vegerin? Gelo wê jinên ku ev bîst û çar sal in li benda mêrê xwe ne, wê li wan vegerin? Gelo keçên bi dergistî wê dergistiyên xwe careke din bibînin? Na. Lê ez dizanim, piştî karê xwe ez ê herim nava zarokên xwe. Ew ê bê bav û dayîka wan jî dê bê mêr nemîne. Lê divê ez vê kareseta dayîkên me yên bê mêr ku bi tenê mêrên xwe di xewnên xwede dibînin, binivîsînim. Divê ez jiyana wan keç û xortên piştî bavê xwe hatine dinyayê û nizanin bav çi ye, binivîsînim. Divê ez van hemiyan binivîsînim û pêşkêşî wan bikin da ku kesên niha ji vê xebata min acizin û naxwazin ez li vir bimînim û rêyên alîkariyê li ber min girtine, şermezar derxim.

Samî ketibû nava peyvê û xwe winda kiribû. Te digot belkî ew nehatiye pîrê guhdarî bike. Wî wê demê dizanibû, divê pîrê jî wî guhdarî bike. Wî jî hinekî kesera dilê xwe, di nava hebûnê de tunebûna bê derfetê ji pîra xwe re got. Lewma wî li pîrê nêrî û got.

- Pîrê bibore! Wele bê hemdî min ev gotin ji devê min derketin. Belkî ez te weke pîra xwe ya rast dizanim, lewma ev gotin bê ku bifikirim hatin ser zimanê min. De ka em te guhdarî bikin, tê îro çi bêjî:

- Kurê min te baş kir got. Kesên derdê xwe nebêjin, nikarin dermanan jî peyda bikin. Ez dizanim rewşa te di derekê de eliqî ye. Lê xem nake. Aha ev der jî mala te ye. Were bixwe, te xwest dikarî li vir razê jî. Mal mala te ye. Ez naxwazim tu tunebûnê bikşînî. Çi hebe tu jî weke kufletekî vê malê yî. Tu bawer bike ez te weke kurê xwe Mihemedê Enfalkirî dizanim. Bêhna min jî bi te derdikeve. Çi dema tu tê vir, ez dibêjim belkî Mihemedê min e, hatiye seredana min.

Dema pîrê behsa Mihemedê xwe yê ew jî hatibû Enfalkirin kir, hêsirên wê weke ava Rûbarê Mezin herikîn. Erê erê ew rûbar jî şahidê gelek bûyer û kiryarên qirêj yên Seddam e. Di wî rûbarî de jî gelek pêşmêrge şehîd ketine. Lê ew rûbarê bi xweşî û delaliya xwe, bi vê ava ku jê diherikî, weke şîrê dayîkê fêde dida pêşmergeyan. Ew rûbar ji bo pêşmergeyan bûbû cihê star û paqijiyê. Te digot belkî vî rûbarî pêsîrên xwe vekirîne û xistine devê wan pêşmêrgeyên ji bo azadiya welatê xwe kar dikirin ku tîna xwe bi ava wî dişkandin.

Pîrê tu car ne dixwest neviyên wê û keçên wê bi hêsirên wê bihesin. Her wê hêsir û kulên xwe bera hundirê xwe didan. Pîrê, mêrê xwe, du kurên xwe û sê zavayên xwe winda kiribûn. Yanî hatibûn Enfalkirin. Lewma pîrê bi derd bû, pîrê bi keser bû. Li hember nevî û keçên xwe serbilind û weke bi kêf be, xuya dikir. Ji xwe hemî jinên Barzaniyên mêr û kurên wan hatibûn Enfalkirin jî wiha bûn.

Sedema vê jî pîrê wiha digot: “Belê hemî jin û dayîkên zilamên Barzaniyan wiha ne. Divê em li hember dijmin ne jar û hustuxwar bin. Divê em bidin zanîn, mêr û kurên me ji bo azadiya welatê xwe Enfal bûne û bûne cangorî. Ev ne cihê xemgîniyê ye. Divê dijmin baş bizanibin, jinên Barzaniyan jî weke mêrên xwe tu caran serî li ber dijmin netewandine û wê tu caran jî netewînin.”

Pîrê bûyereke leşkerên Seddam ji Samî re wiha gotibû: “Dem dema berî Enfalê bû. Şerê pêşmergeyan li hember Seddam roj bi roj geş dibû, berfireh dibû. Hema hema bêhna azadiyê dihat me. Lewma rojekê çend leşker hatin kampa em lê diman, serê pêşmêrgeyekê ji kîs derxist û nîşanî kesên li dora wan civayabûn, da. Hemî jin, mêr û xort li wir bûn. Dema serê pêşmerge yê jêkirî derxist, jina wî ya çar mehî kire qêrîn. Hema bi qêrîna we xwesiya wê pêre xeyidî û got:

- Keça min ma tu şerm nakî tu li hember dijmin dikî qêrî û hawar. Zilamê te kurê min e. Ew ji bo azadiya welatê xwe şehîd ketiye. Divê tu neqîrî û kêfxweş bibî. Wê roj bê, jêkirina serê wî dê bibe azadiya welatê me.

Em hemî di hundirê xwe de xemgîn bûn, lê divê me tu caran ew xemginiya xwe li hember dijmin nîşan neda. Me bi wêrekiya xwe zora dijmin dibir. Pîrê jî fêm kir êdî ew hinekî westiya û li bûka xwe nêrî û got:

- Keça min Safiya, wele ez û mamoste hema îro davên ber hev. Yek ew dibêje û yekê jî ez. Heger em bi vî awayî herin ez ê nikarim wan serpêhatiyan ji wî re bêjim. Ka hela çaya me bîne û em dest bi kar bikin. Şîvê jî ji bîr neke ha.

Bûka pîrê Safiya ji xwe çay hazir kiribû, wê bianiya lê dîsa pîrê anîbû bîra wê. Çaya xwe vexwarin û pîrê got:

- Kurê min dema Mistefa ew serpêhatiya xwe ji min re got, gelek êşiyam. Hêrs û daxwaza min ya ku ez li gor îmkanên xwe alîkariya kurdan bikin, bêtir û geştir bû. Min û wî me di yek cihî de kar dikir. Ev tiştekî baş bû. Min tim ew didît. Lê tu ya rastî bixwazî, êdî bi dîtina wî kêfa min bêtir dihat. Dema min ew didît di nava min de tiştek dibû. Dema çav li wî diketim, êdî soro moro dibûn. Li malê êdî her min behsa wî dikir. Carna dayîka min digot:

- Keça min te xêr e, êdî hema tim navê Mistefa li ser zimanê te ye. Te dil negirtibe?

- Dayê ez jî nizanim. Lê dizanim, gelek ji wî hez dikim, dilê min li ser wî dikele. Şev heta li min dibe sibe da wî bibînin, dibin sal û meh. Ez bi xwe jî ditirsim ku min dil girtibe. Lê nizanim dil girtin çilo ye? çawa ye?

- Belê keça min dilgirtin hema wiha ye. Lê divê tu bizanibî zewaca keçên rûsan li biyaniyan qedexe ye. Divê tu hay ji vê hebî ha. Heger tu dil bigirî jî tu wê nikaribî pê re bizewicî.

- Na, na dayê tiştekî wiha tune ye, min got bi şermokî. Lê min xwe bi xwe got; wele xuya ye min dil girtiye. Ez ê çi bikim. Heger ev ne dilgirtin be, ma xêr e, her gav û saet ew di bîra minde ye. Her şexsê wî, bejna wî ya dirêj tê ber çavên min, bi hezkirinekê şa dibim. Ev min ditirsîne û xeter e. Ji ber ku tiştekî wiha hebe jî em ê nikarin bi hev re bizewicin.

13

Êdî gelek dem û dewran di ser kurdan re derbas bûbû. Wan tu rehetî nedîtibûn. Wan xwe avêtibûn bextê Sovyeta di destûr û bernameya wê de hatibû nivîsîn ku ew ê mafê miletên mezlûm biparêze, xwedî li kesên bindest derkev e. Ji bo têkoşîna azadiya gelê bindest ew ê her alîkariyê bikin. Lê çi mixabn ev yek jî ji bo kurdan pêk nehatin. Berevajî wê bû. Kemal û Îsmet li vir jî li hemberî wan derketin. Lê bi navekî din û li welatekî din. Bakirov û Yusufov bûn dijminên nû yên kurdan û Barzaniyan. Wan tu rehetî neda Barzaniyan. Ew ji hev belav kirin, ew di karê zor û zehmet de dane xebitandin. Weke ku hêsîr bin, bi wan re tevdigeriyan. Ev herdu necamêr jî li hember Barzaniyan gelek bê wijdan û merhamet bûn. Ez zêde nizanim Kemal û Îsmet çi anîne serê kurdan lê Bakirov û Yusufov ji wan ne kêmtir bûn.

Lê ew kurd û Barzanî bûn. Ew pêşmêrgeyên welatê xwe bûn. Lewma jî di ruhiyeta wan de tim şerê azadiya welatê wan hebû. Di mejiyê wan de hezkirina wan a li hember serokê wan hebû. Kemal û Îsmetê nû her çiqas ew ji hev belav kiribûn jî lê wan her yekî li cihê xwe, bêyî haya wan ji hev hebe, berxwe didan da ku serokê xwe bibînin. Berxwedana wan cara yekem bû li Sovyetê tiştekî wiha pêk dihat. Lê ew ne ji mirinê û ne jî ji girtin û zindanan ditirsiyan. Wan dixwest serokê xwe bibînin. Wan dixwest li gel serokê xwe bijîn. Heger mirinek û girtinek hebe jî wan dixwest li gel serokê xwe bin.

Ma qey serokê wan Barzanî jî wiha rehet li cihê rûdinişt, na. Her ew jî ketibû meraqa pêşmêrgeyên xwe. Ew jî nedisekinî da ku rojekê berî rojekê xwe bigihîne wan. Wî name li ser name dişand Kremliyê lê nedigihiştin cihê xwe. Tenê nameya wî ya dawî ya bi destê gundiyekê xêrwaz avêtibû qutiya postê. Aha ew name gihîştibû cihê xwe û wê nameyê azadiya wan anî bû. Ew li Taşkendê gihiştin hev. Êdî êş û azarên mezin li dû wan mabûn. Maqamên dewletê ji serokê wan re malek amad dikin. Dayîn û stendina nava wan serbest dibe. Kesên xwendevan xwendina xwe domandin. Hin ji wan zewicîn û di kolhozan de dest bi kar kirin.

"Erê felekê piştî ew qas zehmetiyan Barzaniyan hin rehetî dîtin. Lewma kesên temenê wan mezin êdî hin ji wan piştî ku qedexekirina zewaca bi biyaniyan re rabûbû, zewicîn. Yên xort jî xwendina xwe ya dibistanên xwe domandin. Belê Tolga bi evîndariyeke wiha ketibû ku êdî wê ji hesreta ku ew nikarin bi hev re bizewicin, roj bi roj diheliya, xwarin kêm û keser zêde kiribûn. Her çi qas wê ji bo zewaca xwe serî li çend cihên fermî xistibû jî, lê hemî derî lê hatibûn girtin, wê nedikarî bi kesekî biyanî re bizewiciya.

Tolgayê gelek caran di xewnên xwe de bi Mistefa re dawet li dar dixist û ew dawet ji aliyê leşkerên rûs ve têk diçû û ne dihiştin Tolga û Mistefa xwe bigihînin mirada xwe. Gelek caran tiştên wiha dihat serê Mistefa jî. Lê êdî ew roj bi şûn de mabûn.

Piştî vê û evîndariya Tolgayê êdî rê ji wan re jî vedibe. Ev xebera xweş dema tê belavkirin û Tolga dibihîze, dikir ku bifiriya lewma bi lez û bez xwe digihîne Mistefa û vê mizginiyê dide wî. Didê lê evîndariya xwe jî jê re dibêje. Ma qey Mistefa ne evîndarê wê bû. Ew jî her şev bi agirê evîna Tolgayê dişewetî. Lê ji ber ku wî dizanibû zewaca keçên rûsan bi biyaniyan re qedexe ye wî ya xwe tenê bera nava dilê xwe dabû. Tolga qet di hîs û evîndariya wî ya li hemberî xwe de tê dernexistibû. Lê piştî wê xeberê êdî Mistefa jî cara ewil devê xwe vedike û ya dilê xwe wiha dibêje:

- Ma tu dibêjî qey ez ji te hez nakim! Ma tu dibêjî qey dilê min kevir e! Roja min tu nedidîtî weke ez li ser êgir bûm. Ez di xewa xwe de bi dîtina te ya tu ji min dûr diketî de şiyar dibûm. Lê va ye êdî roj li me jî hilat. Em jî êdî dikarin bi hev re bizewicin. Lê Tolga divê tu bizanibî, şertên me giran in. Em ê çi demê vegerin ne diyar e. Em nehatin heta dawiya temenê xwe li vir bimînin. Çi demê mecala me ya vegerê pêk bê em ê vegerin. Divê tu vê bizanibî. Çi dema ez vegerim jî heger tu nexwazî dikarî li welatê xwe jî bimînî.

Piştî ew qas zor û zehmetiyên Barzaniyan dîtibûn, wan dîsa bi saya wê nameya serokê xwe, xwe gihandibûn hev û hinek rehetî jî bûbû para wan. Bi saya wê namê Tolga jî gihiştibû evîndarê xwe. Zewicî bûn. Misfefa êdî mêrê malê bû. Lewma bê ku ew xaniyekê kirê bikin, dayîka Tolgayê ji keça xwe re dibêje; “Keça min zilam di mal de tune ne. Lewma ez dibêjim hewce nake hûn xaniyekî kirê bikin. Zewaca xwe bikin û bila Mistefa were teva malê bibe. Bila ew hem bibe zavayê min û hem jî bibe weke kurê min.”

Tolga yekê nake dudu vê pêşniyara dayîka xwe digihîne Mistefa û ew jî dibêje bila, çima na. Em ê li gel hev bijîn, dayîka te dayîka min e jî. Xwîşkên te xwîşkên min in jî. Kêfa wan li cih, serê wan rehet bû êdî. Lewma Tolga hema carekê ber bi Misefa û carekê jî ber bi dayîka xwe baz dida û pêşniyarên wan digihandin hev. Hemî malbat kêfxweş bûbû ku

Mistefa pêşniyara dayîka wan qebûl kiribû û her tişt di nava xwe de çareser kiribûn.

Di dema zewaca wan de ango piştî hevdu nasîbûn, Mistefa serpêhatiyên xwe ji Tolgayê re gotibûn, êdî wî her roj tiştek digot. Wî tem behsa serokê xwe, xelkê devera Barzan, serîhildan û berxwedanên bi pêşevaniya Barzaniyan hatibûn û dihate kirin digot. Wî kiribû adet, her li malê behsa kurdan û welatê wan ê parçekirî dikir. Wî her dianî zimên li vê dinyê kes dostê kurdan tune ye. Lewma jî miletê kurd wiha jar û bindest e. Lewma jî wî digot; heta ku welatê mirov dagirkirî be, mirov jî her dagirkirî ye. Azadiya mirovan bi azadiya welatê wan çêdibe. Kesên ne azad wê tim ji dagirkeran re wek kole kar bikin. Hatina me ya vir ji bo ku em rojekê vegerin û şerê azadiya welatê xwe bikin e.

Roj li dû rojê, hefte li du heftê, meh li mehê û sal bi du hev de digindirîn. Gelek wext û zeman derbas bûbû. Êdî Tolga bûbû dayîk û Mistefa jî bûbû bav. Li Ozbekistanê du kur û du keçên wan çêbûbûn. Halê wan xweş, rewşa wan baş û kêfa wan li cih bû. Bi hev re şad û bextewar bûn. Lê car carna li ser pêşneyara serokê wan Barzanî, kombûn jî li dar diketin. Di wan kombûnan de her Barzanî digot:

- Birano heval û hogirno, pêşmêrgeyên qehreman, ji bîr nekin ez û hûn hê jî pêşmêrge ne, em hatin vir ji bo ku bikaribin rojekê li welatê xwe vegerin. Me welatê xwe di nava êgir de hişt, serok û rêberên me hemî bi destê dijmin ya hatin kuştin ya jî hatin darvekirin. Niha bêdengiyeke mezin, ewrekî giran girtiye ser welatê me. Hemî kesên me bêdeng in. Êdî ew dema rakirina vê bêdengiyê hatiye û divê êdî em xwe ji wê rojê re amade bikin.

14

Piştî têkçûna Komara Kurd li Mehabadê, li her çar parçên Kurdistanê bêdengiyekê girtibû ser kurdan. Ewrekî tarî ku nedihişt çav çavan bibînin girtibû ser welatê kurdan. Li aliyê din dagirkeran jî her li gel hev kêf û şahî dikirin. Kêf bûbû kêfa wan. Wan her bawer dikir ku êdî heta cîhan hebe wê kurd bi ser hişê xwe de neyên. Lewma jî dema desthilatdarên her çar parçên dagirkerên Kurdistanê dihatin ba hev hevdu pîroz dikirin. Şukuriya xwe dianîn ku ew li ser mesela kurd û Kurdistanê li hev in.

Daxwaz û helwestên wan yek bûn. Lewre wan tim li gel hev û bi hev re ji bo tunekirina kurdan kêf û şahî dikirin. Çi dema dihatin ba hev mijara wan meseleya kurd û Kurdistanê bû. Kêf û şahiyên wan jî bêtir li ser biserneketina kurdan bû. Vê carê jî wiha baweriya xwe anîbûn. Wan bawer dikirin, êdî kurd wê nikaribin li hemberî wan serî rakin. Lewma jî bi kêfxweşiyeke mezin ji hev re digotin: "Xuya ye vê carê me kurd bi rastî qedandin, êdî ne hedê wan e serî hildin. Bijî hêz, tifaq û tevgerên me yên ji bo qedandina kurdan. Bijî li hevkirina me ya ji bo tunekirina kurdan. Heger ne ev tifaqa me û yekîtiya me ya ji bo ji holêrakirina kurdan ba, me tu caran nikaribû ew wiha bêdeng bikirana. Em bi ser ketin û ev serketin dê heta hetayê bidome, êdî kêf kêfa me ye."

Belê dijminên gelê kurd wiha kêf dikirin. Ew ji xwe bawer bûn ku wan kurd tune kirin. Bi kêf û şahiya nava xwe her digotin: "De êdî kêf kêfa me ye." Baweriya xwe anîbûn ku wan kurd nehiştin û heta dinya hebe wê kurd êdî nikaribin dengê xwe li hemberî wan derxin. Lewma jî êdî bê hesab û hidûd êş û azar, zordarî û koçberiya kurdan destpêkirî bû. Gelek ji kesên li cihê xwe mabûn nema biwêrin dengê xwe derxin.

Li bakur, li başûr û li rojhilatê Kurdistanê, kurdan winda kiribûn û dijmin bi serketibûn. Ji ber vê bû dijminan dixwestin warên kurdan, adet û toreyên wan jî têk bibin. Qanûnên taybet derxistin ji bo ku tu tiştekî kurdan nehêlin. Kurdî axaftin li bakurê Kurdistanê bûbû sûcê mezin û li gor vî sûcî jî cezayên giran li wan dihatin birîn. Ji ber ku dijmin baş dizanin; dema zimanê miletekî nemîne ew milet jî namîne. Mînakên vê li cîhanê gelek in. Gelek ji milet û împratoriyên mezin, ji ber windakirina zimanê xwe, ew jî weke milet winda bûne.

Li Tirkiyê dibistanên taybet hatin vekirin da zarokên kurdan li wir bikin tirk. Li wan dibistanan xwarin, razan û mesrefên dibistanê ji aliyê dewletê ve dihate dayîn. Ji wan re bi tirkî digotin; Yatili okul, ango Dibistanên Şevînî. Ew dibistanên belaş bûn, yanî xwarin, razan û hemî mesrefên dibistanê ji aliyê dewletê ve dihat kirin. Wan ji kurdan re digotin: “Bila kesên feqîr zarokên xwe bişînin van dibistanan. Kesên li wir jî dixwendin, bi perwerdehiyeke nijadperest dihatin perwerdekirin da ku ew kesên li wir dixwendin rojekê li dij gelê xwe şer bikin. Yanî tirkan jî weke bapîrên xwe Osmaniyan dikirin. Ma ne ew Osmanî bûn ku Yenî Çerî Ocaklarî ji ciwanên gelên din pêk anîbûn, ew perwerde dikirin û bera ser serê gelê wan didan? Ew bera pêxîla wan didan. Ji ber ku wan baş dizanibûn kurmê darê ne ji darê be, nikare bi darê. Binemala Osmaniyan Tirkan jî weke bapîrên xwe dikirin.

Bi vekirina van dibistanan dixwestin gelê kurd xwe

bi xwe bera ber hev bidin. Gelek serbaz û hê mezintir ji wan dibistanan derdiketin. Ew kesên bi eslê xwe kurd û dibûn xwedî rutbeyên mezin, aha bi destê wan, gelê kurd jî qir dikirin. Welatê wan wêran dikirin. Ji ber ku kesên di wan dibistanan de dixwendin (ji bilî hin îstîsneyan) piraniya wan dibûn zilamên tirkan yanî tirkên baş û nijadperestên xerab yên tirkan. Ji ber ku kesên li wan dibistanên wiha dixwendin ji ziman û hemû hebûnên wan dûr dixistin. Gelek ji wan dibûn xwedî desthilat û agir bera miletê xwe didan, rehetî nedidan kesên xwe. Ev jî derdekî nû, çareyeke bê derman bû. Hin kurd, ji van dibistanan weke serbaz û heta mezintir jî derketibûn û agir li ser serê gelê xwe dibarandin. Bi destên kesên wiha gelek malwêranî û xerabî hatibûn serê kurdan...

Kurd ji destê dijmin ketibûn amana xwedê. Roj tune bû ku leşkeran êrîş nebirana ser gundên kurdan, tade û zilma nedîtî dianîn serê wan. Karê wan ew bû, tim li kurdan bidin û bikujin. Kuştina kurdan ji bo leşkerên tirkan helal bû. Kê çend kurd bikuştana jî hesab ji wan nedihat xwestin. Li gundan mêraniyên zilaman bi destê jinên wan girêdidan û dîsa bi destê jinên wan didan kişandin. Gû bi wan dida xwarin. Yanî tiştên li her çar parçên Kurdistanê dihate serê kurdan, ne hatiye dîtin û ne jî hatiye bihîstin. Lewre dijmin baş baweriya xwe anîbû û dizanîbû êdî wê kurd nikaribin li hemberî wan serî hildin. Wan bawer dikirin ku kurdan winda kiriye û welatê kurdan ji wan re maye.

Gelo rastî ev bû? Gelo kurdan bi temamî winda kiribûn? Gelo êdî wê kurdan li hemberî van tade û zalimiya dijmin serî ranekirina? Lewma jî ev pirseke girîng û di cih de bû. Li bakurê Kurdistanê piştî têkçûna şerê Şêx Seîdê nemir, ya Koçgiriyê, Agiriyê, Zilan û Dersîmê, bêdengiyekê xwe bera ser bakur dabû û êdî kesê newêrîbû meseleya kurd û Kurdistanê biaxifiya. Ji ber axaftinên wiha dijmin ew talan dikirin, qir û wêran dikirin. Malwêranî û koçber dikirin. Ji ber vê heybeta dijmin, tirs û xofeke mezin ketibû dilê kurdên bakur. Nema diwêrîbûn dengê xwe derxin.

Ma gelo Barzanî hay ji vê rewşê hebû? Gelo wî jî dizanibû ku gelê wî, miletê wî ketiye çi rewşê? Ma çawa nizanibû, gelek tişt dihatin guhên wî, dibû şahidê gelek bûyerên qirêj. Ji ber vê yekê bû êdî ew jî nema dikaribû li Sovyetê bimîne. Diviya bû wî ew bêdengiya kurdan rakira. Divê wî ew ewrê tarî ku girtibû ser kurdan belav bikira. Diviya bû, wî ew tariya ku girtibû ser kurdan ronî bikira. Lewma wî jî li Sovyetê civîn li ser civînê çêdikir. Bi heval û pêşmêrgeyên xwe re li ser vê rewşê qise dikir.

Barzanî ne rehet bû. Ji vê bêdengiya kurdan û tadeyên dijmin li wan dikir gelek aciz bû. Lewma rojekê dîsa weke gelek caran hevalên xwe dicivîne û li ser rewşê qise dikin ka dê bikaribin çi bikin. Wî tim ji hevalbendên xwe re digot: “Birano rewşa niha ya kurd tê de ne, rewşeke xerab e. Dijminên me li her çar parçên Kurdistanê kêf û şahiyan dikin. Wan bawer kirine êdî wê kurd dengê xwe dernexin. Weke hûn jî dizanin, hatina me ya vir, ji bo rojekê vegerê bû. Ew roj hêdî hêdî nêzîk dibe. Divê em jî êdî xwe tevbigerînin û wan ewrên tarî yên girtine ser gelê xwe rakin. Ez dizanim hin ji we zewecîne. Bûne xwedî zar û zêç. Hin ji we bûne xwedî mal û karên baş. Weke çawa em hatin vir, her kesekî li gor dilê xwe biryar da, ji bo vegerê jî wê biryar ya we be.

15

Erê kurê min, pîrê bi keder got:

- Bi rastî jî ew ruhê welatperwerî ya bi Barzaniyan re hebû bi kêm kesan û neteweyan re peyde dibe. Li welatê xwe jî li wir jî wan gelek zor û zehmetî dîtibûn, kişandibûn. Hin ji wan li wir zewicîbûn. Êdî bawerî ew bû wê kesên zewicî ne dê li welatê xwe venegerin. Ji ber ku li wir rehetiya wan û îmkanên wan ên aborî baş bûn. Lê na, ew bi vê yekê nedihatin ser û her li benda roja xwe ya vegerê bûn. Di gelek civînên di bin serokatiya Barzanî de dihatin kirin de rewşa kesên li Sovyetê, ya welêt û li ser rewşa vegerê dihate qisekirin.

Min bi xwe jî beşdarî du kombûnên wiha kir. Min jî li serok Barzanî guhdarî kir. Lê kurê min, tu bawer bike kesên li wî guhdarî bikin û weke wî nekin gelek kêm bûn. Ez weke jineke rûs, dema min ew guhdarî dikir, min xwe weke kurd dinasî. Lewma çi axaftin û gotinên Mistefayê zilamê min û çi jî bi dîtina Barzanî êdî min xwe weke kurdekê dizanîbû.

Ji ber vê bû navê zarokên me hemî jî bi kurdî bûn. Ez qet ji bîr nakim ku rojekê di kombûnekê de Barzanî gelek aciz bû. Wî her dianî zimên ku gelê wî li ber têkçûnê ye. Divê ew çi bikin? Lewma min jî mafê axaftinê xwest û got: “Ya serok! Divê hûn, em li benda roja firseta vegerê bin û dema ew çêbû divê em vegerin da ku gelê xwe bê hêvî nehêlin. Îro dijmin kêf dikin, lê divê em wê kêfê ji wan re nehêlin. Ew jî bi vegera me û dest bi şerê çekdarî kirinê dibe da em bêdengî û tirsa li ser gelê xwe rakin. Wekî din tu rê tune ye. Hûn serok in. Hûn zana û têgihiştî ne. Li rewşê binêrin, çi roja hema rohniyek peyda bû, divê hûn, em vegerin.”

Vê axaftina min tesîr li wî kiribû. Lewma wî ji kesên di civînê de pirsî: “Brano ev kî ye, ev jina pak û rind, reng û axaftina wê ne weke ya kurdan e. Gelo ew kî ye? Keç an jî jina kê ye?.” Mistefa ji cihê xwe rabû, destûra axaftinê xwest û got: “Ya serok ew hevsera min Tolga ye. Em zewicî ne du kur û du keçên me hene. Lê ew jî her xwe weke kurdekê dizane û dixwaze ji bo kurdan kar û xebatê bike. Aha hûn dibînin û guhdarî dikin kurdiya wê jî ne kêmî ya me ye.” Barzanî di ber xwe de keniya, li min nêrî û got: “Devê te xweş be, gotinên te rast in. Em ê jî li benda rêyekê bin ka em ê çawa ji vir derkevin. Bi nasîna te ez kêfxweş bûm.”

Ew cara yekem bû ku min wiha ji nêzîk de Barzanî nasî. Ji xwe ew jî cara min ya dudan û axaftina min ya ewil bû ku ez di kombûneke Barzaniyan de diaxivîm. Min jî êdî xwe weke yek ji Barzaniyan dizanî. Her min jî dixwest, ez jî weke wan, bi dilekî pak û mejiyekî rehet ji bo kurd û Kurdistanê kar û xebatê bikim. Min ev ji xwe re kiribû kar, kiribû armanc. Lê zilamê min Mistefa hê ev yek baş nizanî bû. Heta carna dema wî behsa vegera xwe ya Kurdistanê dikir, weke ew ê bi tenê vegere, xwe didît. Lewma jî min li ser tiştên wiha zêde qise nedikir. Ji xwe ji qisedanê bêtir divê mirov bike. Her wiha ez bi xwe jî tim li benda dem û wextê bûm da ku bi nêrîn û dîtinên xwe bêjim: “Mistefayê delal, meraq neke ez tu caran te bi tenê nahêlim, mirin hebe bila em bi hev re bin, jiyan hebe bila em bi hev re bin.”

Dinya dikeliya li her derekê berxwedan û serî hildan pêk dihatin. Roj bi roj dewletên nû li ser rûyê dinyê dihatin avakirin. Çihê mixabiniyê ye dewleteke kurdî nedihat avakirin. Bi ser de jî kurdan ji her derê de winda kiribûn. Miletekî ew qas xwedî dîrokek kevn, miletekî ew qas bi nufusa xwe zêde, bi erda xwe fireh lê bindest, jar û perîşan bû.

Gelek neteweyên nû hatibûn avakirin. Lê kurd ne dibûn dewlet. Lê kurd her wiha bindest bûn. Çima gelo? Ma çima kurd nikarin xwe azad bikin û dewleta xwe damezirînin? Min êdî hêdî hêdî serê xwe li ser vê yekê jî diêşand. Min dixwest vê fêr bibim. Lewma jî heta min kitêb bi dest xistin, li ser dîroka kurdan min pirtûk xwendin. Di hemiyan de min dît, ew bi hev re ne rast in. Min dît, ew xwe bi xwe dijminên hev in. Min dît, bira li bira dixe û dijmin li ser serê hevdu dikin axa. Min dît, kurd ji hev hez nakin. Lewma yek naxwaze yekî din bi pêşkev e. Min dît û xwend, di her serîhildan û berxwedanên kurdan de dîsa bi destên kurdan têk çûne.

Vê tesîrek mezin li min kir. Gelo çima kurd wiha ne? Dûv re têgihiştim ku dijmin mecala xwendinê nedaya wan. Kesên nexwenda jî teng û kêm difikrin. Kesên nexwenda tim dikarin dijminatiya xwe û ya gelê xwe bikin. Ji ber ku li ba kesên nexwenda, berjewendiyên şexsî li pêş in. Aha kurdan ji ber vê êş û azar dikişandin. Ji ber nezanbûna xwe wiha bindest mabûn. Lewma jî dema min dîroka wan xwend, min dît ku hin eşîr an jî kes ji bo azadiya welatê xwe rabûne, hinên din, eşîrên din jî li wan dane.

Ma ne va ye îro eşîrata Barzaniyan tenê li vir in. Wan xwestin welatê xwe azad bikin. Lê hin eşîrên din yên kurdan li gel dijmin cihê xwe girtin û li wan dan. Ez baş tê gihiştim, heger kurd yek bana wê ew jî weke hemî miletan bigihiştana mafên xwe yên neteweyî. Lê ev nelihevbûna wan nahêle ew bibin xwedî maf û heq. Lewma divê kurd berê vê yekê pêk bînin da ku li hember dijmin rawestin. Ya na karê wan dê zehmet be.

Kurê min, Samî yê min Mihemedê min, pîra te îro westiya. Ka em îro xebata xwe li vir bidin sekinandin. Ji xwe her ku ez dibêjim, tiştên nû têne bîra min. Meqseda te û hatine te ya vir baş dizanim, tu dixwazî li ser jiyana Enfaliyên Barzaniyan û piştî wan li devera Barzan jiyan çawa bû binivîsînî. Lê heta mirov sedema Enfalê fêr nebe, nabe hema mirov yekser derbasî mesela Enfaliyan bibe.

Divê bê zanîn; ew ji ber çi sedemê pêk hatiye. Dibe ku min hinek dirêj kir. Ma ez çi bikin lawo! Ev cara ewil e kesek dixwaze vê serpêhatiyê ji devê yeke zindî guhdarî bike. Heger pîra te carna vê zêde dirêj jî dike divê tu li qusûra wê nenêre. Dixwazim her tiştê dizanim bêjim, çi tiştê ji te re lazim bûn wan binivîsîne. Êdî ez ê xwe amade bikim da ku derbasî mijara Enfalê bibin. Çi bû Enfal? Kî hatin Enfalkirin, ji ber çi bû? Ez ê hewl bidin wan jî ji kurê xwe re yek bi yek, bi qasî dizanim û bêne bîra min û min dîtine ez ê bêjim.

Samî vê sibê bi kêf ji xew rabûbû. Êdî ne xwarin û ne jî ew bê îmkaniyên ew di nav de dijiya, ne dihatin bîra wî. Ji ber tiştên pîrê jê re digotin û wê bigotina, ji nan û avê jî girîngtir bûn. Ji ber ku miletekî dîroka xwe baş nizanibe, rabirduya xwe fêr nebe, ew milet dê nikaribe pêşiya xwe jî baş bibîne. Aha mesela kurdan jî ev e.

Samiyê ew jî bûbû pêşmêrge û her roj firavîna xwe li navçê û di nava pêşmêrgeyên qehraman de dixwar, kêfxweş bû. Bi pêşmêrgeyan re rabûn û rûniştin, bi wan re kêf û henek kirin, nedibû para herkesî. Lê ev bi saya Şêx Feryad Barzanî bûbû para Samî.

Dema wî karê xwe li Bilê dikir, carekê Dewleta Tirk sînor derbas kiribû û ketibû nava erdê azad. Samî ji vê gelek aciz bûbû. Lewma wî carna bi rastî û carna jî bi henekî digot: De pêşmêrgeyên qehraman ka em herin û wan dijminan bi hev re ji nava erdê xwe bavêjin. Ez amade me heger hûn min jî teva xwe bibin. Pêşmêrgeyekî lê vegerand got:

- Mamosteyê delal, ew kar karê me bi xwe ye. Karê yên weke canabê te, nivîsandin e. Tu ji me re vî karî dikî ev bes e. Çek bikaranîn û li hember dijmin rawestandin karê pêşmêrgeyan e. Heta em pêşmêrgeyên Kurdistanê sax bin em ê welatê xwe biparêzin. Heta em li cîhanê bin, em ê tev bibin parezgerê vî erdê bi bereket. Heta em hebin êdî em ê nehêlin dijmin me qetil bikin û zarokên me jî sêwî bihêlin. Em ji bo azadiya welatê xwe û kesên weke we ji bo avadan û pêşveçûna welêt, bi pêşniyar û temiyên xwe hene.

Pêşmêrgeyekî din jî wiha got:

- Belê mamoste can, niha dijmin dikarin bikevin nava erdê me. Sedema vê jî bê dewletî ye. Çi gava em bûn xwedî dewleta xwe, aha wê gavê dijmin gavekê jî bikeve nava axa azad, wê bê bersiv nemînin. Niha gelek kêmaniyên me ji ber bê dewletbûna me hene. Niha em nikarin gelek tiştan bê Iraqê bikin. Lê tu bawer be mamosteyê delal, piştî me dewleta xwe ya serbixwe ragihand û em bûn xwedî Kurdistaneke azad û serbixwe, aha wê gavê em ew pêşmêrge tenê ji bo welatê xwe hene, em ê bi canê xwe welatê xwe biparêzin.

Di nav pêşmêrgeyan û Samî de sohbeteke xweş li ser asasê parastina welêt, destpêkiribû. Wan dixwestin xwe li çekên xwe û yên weke Samî jî xwe li qelemê xwe bişidînin. Daxwaza wan ji Samiyê ku ew jî bûbû yek ji wan, ew bû ku karê nivîsandinê jî bi qasî belkî zêdetirî çekê jî fêda wê heye, anîbûn zimên.

Samî êdî li navçe û di nava pêşmergeyan de dixwar û vedixwar, êdî li karê xwe dilezand ji bo vegere welatê sermê, nava zarokên xwe. Dema Samî li malên Enfaliyan digeriya û dayîkên wan guhdarî dikirin, dema wî bê bavtî tiştekî çawaye, hizreke çilo ye, ji zarokên Enfaliyan dipirsî, wan tenê digot: “Li cîhanê tu tiştek ji bê bavtiyê zortir û xerabtir tune ye. Ango dema bavê mirov tune be mirov her jar, bindest û hustuxwar e.” Wê demê zarokên wî jî diketin bîra wî.

Ji ber vê bû carna wî xwe bi xwe digot; niha zarokên min jî li welatê Skandinavyayê hustuxwar in. Her çiqas Samî birayê zarokan ê mezin Serhad temî kiribû da ku li wan binêre, lê dîsa jî bêbavtî ji bo zarokan gelek zor e. Ji ber vê bû Samî tim halan di xwe de hildida da zû bi vî karê ku pê ve rabûye biqedîne. Belê Samî jî gelek zor û zehmetî didît. Lê êdî wî tu tişt guhdarî nedikir, derdê wî xelaskirina karê wî bû. Derdê wî nivîsandina dîrokek bi gelek aliyan de ne dihat zanîn bû.

Dema Samî pîrê nasîbû, di xebat û jiyana wî ya wir ango ya li Bilê de guherandinên berbiçav pêk hatibû. Derdê wî êdî ne xwarin û cihekî razanê û ne hinekî başbûna rewşa wî bû. Derdê wî qedandina kar bû. Lewma kêfa wî ya vê sibê ji ber vê bû.

Bi kêf heta cihê xwe yê xebatê çû, deriyê xwe vekir, li cihê xwe rûnişt û kompîtûra xwe vekir, tiştên ku pîrê jê re gotibûn, ji deftera xwe derbasî kompîtûrê kirin. Dema ku ew dixebitibî nizanî bû dem çawa diçe. Lewma dema çavên wî bi saeta destî wî ketin, dît ku dem dema çûyina xwarinê ye. Lewma êdî wî compîtûra xwe girt, çû serşokê ser çavê xwe şûştin. Li oda xwe vegeriya şimika nigê xwe derxist sola xwe xiste pê, deriyê xwe qifil kir, kevte rê û ber bi navçê ve çû.

Di rêde heta xwe gihand navçê tenê li rewşa pîrê fikirî û xwe bi xwe got: 'gidî tiştek bi pîrê neyê, me dest bi xebatê kir, ditirsim ev neqede.' Dûv re kire niçe niç û dîsa xwe bix we got: 'Xwedê neke wele tiştek bi pîra min bê, ez ê gelek biêşim.'

Samî bi zikekî têr ji navçê ber bi cihê xwe yê xebatê ve çû. Kevte oda xwe li cihê xwe rûnişt ew nivîsên ku mabûn ew jî di kompîtûrê de nivîsandin heta wexta çûyina wî ya mala pîrê hat. Rêya mala pîrê bûbû weke rêya mala wî. Çi dema berê wî diket wir, kêfxweş dibû. Te digot belkî ew ber bi mala xwe de diçe. Lê bi rastî jî ew der bûbû weke mala wî ya duduyan.

Samî çawa derbasî hundirê hewşê bû, dît pîra wî û bûka xwe weke her car li ser merşa ku li hêwanê raxistî bû, rûniştîne. Lewma her du jî ji ber wî rabûn. Hema Samî bi lez xwe li hemberî pîrê da erdê ji bo ew zêde li ser nigan nemînin. Wî li pîrê nerî û got:

- Pîrê wele dema tu ji ber min radibî, ez aciz dibim. Tu pîra min î. Hêvîdar im tu êdî ranebî.

- Kurê min ev jî edetekî ji felsefeya Barzaniyan e ku dema kesek bikeve hundir hemî kesên rûniştî ji ber radibin. Ez nikarim vê xerab bikim. Heger te felsefeya Barzanî zanîbûya te ev gotin nedikir.

Hema li vir yek ser zinginî ji serê Samî hat û got: "Felsefeya Barzanî" min gelek caran ev nav bihîstiye û hin tiştên wê dizanim. Lê ka tu jî bêje ew çawa ye pîrê?

- Erê kurê min niha mijara me ne ev e. Ma tu nizanî Barzanî xwedî felsefeyekê, rê û rêbazekê ne. Ma ya na ew vê qawetê, vê cehda berxwedan û serî li ber dijmin nedanînê ji ku digirin. Ma tu dibêjî qey hema Barzanî şexsek e û temam e. Na kurê min na, Barzanî xwedî felsefeyekê û baweriyeke neteweyî ne.

Van gotinên pîrê gelek bala Samî kişandibûn. Lewma hema çend carekan di ber xwe de: "Dêmek Felsefaya Barzanî ha. Dêmek Barzanî jî xwedî felsefeyekê ne û pîrê jî vê dizane." Û bi dengekî bilind ji pîra xwe re got:

- Bijî pîra min! Te îro ez agahdarî tiştekî tenê bi nav tê zanîn kirim. Pîra delal tu bawer bike, heger îmkan û mecala min bibe, ez ê hewl bidin, wê felsefaya Barzanî ya te behsa wê kir jî binivîsînim. Lê niha wextê me tune ye. Ka carekê bila ev biqede. Ka hela carek em jiyana malbat û zarokên Enfaliyan û dîroka Barzaniyan ji devê te, li gor dîtin û zanyariyên te bidin. Ka hela carekê em sedema pêkhatina Enfalê binivîsînin. Em dûv re dikarin li ser felsefeya Barzaniyê nemir jî rawestin.

- Belê kurê min ji xwe hemî tişt di wê felsefê de ye. Dema mirov wê bizanibe, mirov rehet tê digihîje çi, çima û ji ber çi pêk hatiye. De ka em berê vî karê tu pêve rabûyî, temam bikin.

Pîrê dîsa berî ku dest bi axaftina xwe bike, deng li bûka xwe kir û got:

- Safiya keça min ka hela avê bîne û dûre jî çay ji bîr neke ha!

Pîra me ev ji xwe re kiribû edet. Wê jî zanîbû dê bûka wê bê ku ew bêje jî wê van pêk bîne. Lê heta negota dilê wê rehet nedibû.

Ava xwe vexwarin û pîrê tizbiya xwe ya nod û neh lib ji berîka xwe derxist. Berê çend lib di nava tiliyên xwe de bir û anî û got:

- Belê kurê min. Li dinyê êdî du kamp hebûn. Li gor gotinan kampa Sosyalîst û ya Kapîtalîstan, Emperyalîst hebûn. Her yekê ji wan li gor berjewendiyên xwe hin welat ji nû de ava dikirin. Lê kurd di nava herdu kampan de jî hatibûn ji bîrkirin. Ji van kampan yekê jî nedixwestin Kurdistan azad bibe. Lewre berjewendiyên wan herdu kampan jî di dewletên mezin de hebûn. Di nava wan şer û pevçûnan de li Iraqê jî hin serîhildan û berxwedanan destpêkiribû.

Bi serokatiya Ebdulkerîm Qasim, li Iraqê tevgereke xwedî li kurd, ereb û li hemî kêmnetawayên derdiket hebû ango damezrandibûn. Vî camêrî tim dianî zimên û digot; Iraq ya kurd û ereban e. Lewma wî bi vê pîlanê qraliyet xistibû û ew hatibû ser hukum. Ji ber wî digot ev dewlet ya kurd û ereban e, bi van gotinên wî rêya vegera pêşmêrgeyên qahreman û azadiyê, yanî Barzaniyên Sovyetê jî li welatê xwe vegerin û beşdariya avadana Iraqa nû bikin, pêk hatibû.

Berê Barzanî ji sovyetê derket. Ji ber ku Barzanî rêya êdî ewên li welatê xwe vegerin digeriya. Lewma jî ew berê çû Romanya, piştre di ser Bukreşê re xwe dighêjîne Pragê li wir ji bo Ebdulkerîm Qasim telgerafekê dişîne da ku ew li gel hemî hevalên xwe yên li Sovyetê bûn, vegerin welatê xwe.

Ev daxwaza wî tê qebûlkirin û dûv re jî ji bo vegera hemî pêşmêrgeyên wî, îmkanên vegerê çêdibe. Lê gelek ji wan weke min û Mistefa zewicîbûn, gelek ji wan bûbûn xwedî zarok. Wan xwe bi 512 kesan gihandibûn Sovyetê lê em bi 784 kesan ve li Kurdistanê vegeriyan. Di dema haziriya vegerê de hemî Barzanî li hev civiyan, kêmanî û zêdeyên xwe berçav kirin û dîtin, Seyîd kêm e. Mesela Seyîd jî wiha bû:

Seyîd jî weke gelekan bi yeka rûs re zewicî bû. Lê edet û toreyên me û kurdan ne weke hev bûn. Em ew kesên bi zilamên Barzaniyan re zewicîbûn, me xwe Barzanî dizanibûn. Lewma heta ji destê me dihat me ew pêk dianî.

Lê xwesiya Seyîd piştî mêrê wê yê rûs dimire, ew jî ne weke edet dikeve nava hin tiştên ne li gor Seyîd bûn. Ev yek gelek li zora Seyîd diçe û difikire bê çawa xwesiya wî dikare tiştên wiha bê ehlaqî bike. Ew ji bîr dike ev jin rûs e. Ji bo wê dibe tiştê ew dike ne zêde qebehet be. Lê Seyîdê me vê li ser xwe weke kêmaniyekê dibîne. Lewma ew rojekê xwesiya xwe ji ber van tevgerên wê dikuje.

Ji ber vê kiryara Seyîd, maqamên Sovyetê wî digirin, cezaya surgunkirina Sibîryayê didinê. Piştî salakê li zîndana Moskova dimîne û dûv re wî dişînin Sibîryayê. Lê li wir wî jiyanek gelek nexweş dît, jiyan li wî herimî bû. Hema mirov dikare bêje li wir ew şêt dibe. Barzanî nedixwest wî bi tena serê xwe li wir bihêle. Barzanî daxwaznameyekê bo îdareya hukumetê bi rê dike da ew Seyîd jî bi xwe re bibe welêt. Wan jî vê daxwaza Barzanî qebûl kirin da ew Seyid jî teva xwe bibin Kurdistanê. Pişî ku Seyîd jî hat, em hemî li keştiya bi navê Grozya siwar kirin. Sal 1959 bû. Em ji wir heta Besrayê hatin. Li Besreyê jî vê carê em bi tirênê heta Hewlêrê û ji wir jî em li cihê xwe li devera Barzan bi cih bûn.

“Erê dinyayê vê carê dîsa Barzanî li trênê siwar kirin, lê vê carê ev trên ne ji bo ji hev belavkirina wan bû. Vê trênê hemî Barzanî bi pêşewaziyek mezin û kêfxweşiyeke bêhempa, ew ber bi welatê wan dianî. Xelk û alem hemî rabûbûn ser lingan bi xêrhatin û temeşaya wan dikirin. Ji ber ew qehremanên gel û pêşevanên welatê xwe bûn. Ew ji bo kurd li dinyê bêdeng nebin, yanzde salan li xerîbîyê derd û êş dîtibûn, êş û azar kişandibûn. Lê êdî ew li welatê xwe bûn. Li ser erdê xwe û di nava gelê xwe de bûn.”

Belê kurê min êdî em hêdî hêdî xwe nêzîkê mesela Enfalê bikin. Ji xwe çi dibe ji vir û pê de dibe. Şer û pevçûn, xwînrijandin, Enfal hemî piştî dema pêşmergeyên qehreman li welatê xwe vegeriyan, destpêkir.

Belê kurê min, ez hê jî bawer nakim qewmekî weke qewmê kurd, weke miletê kurd jar û perîşan li vê dinyê mabe an jî hebe. Lê jar û bindestiya wan hemî ji wan de ye. Ji ber nezanbûna wan û nexwendina wan pêk tê. Firseta xwendinê bi dest nexistine cahil man, nezan man. Lê tu caran bawerî bi kesên cahil jî nayê, weke gotineke kurdî heye dibêje: “Nanê wan li ser çonga wan e.” Mesela kurdên nezan û cahil jî wiha ye. Li ku berjewendiya wan ya şexsî hebe ew li wir in. Mesela neteweyî zêde wan eleqeder nake. Lewma jî kurd tim xwe bi xwe rabûne hevdu. Dijminatiya hev kirine û hîn jî dikin.

Belê kurê min. Piştî Ebdulkerîm Qasim hate ser hukim, di destpêkê de rewş hinekî baş bû. Lewma kesên welatê xwe terikandibûn, li welêt vegeriyan. Herkes li cih û warê xwe bi cih bûbû. Serok Barzanî jî li gel pêşmergeyên xwe tim dixwest alîkariya Ebdulkerim bike da ku ev Iraqa ji kurd û ereban pêk tê, di warekî aramî de bijî. Lê ma qey kurdan rehetî divê. Li gel hin eşîrên kurdan, ereb û dijminên din komployek anîn serê Ebulkerîm ku bê hey hawar. Lewma navbera wî û Barzaniyan xerab bû ango bi zanetî xerab kirin. Xerab kirin da ku kurd tim weke xulam û koleyên ereban bijîn.

Erebên ku Kurdistan dagirkiribûn, dixwestin kurdan jî bi her awayî dagir bikin da ku dengê xwe dernexin. Ji ber vê bû xwestin navbera Barzanî û Ebulkerîm xerab bikin. Ebulkerîm mirovekî demokrat û qenc bû. Wî dixwest Iraq bibe ya kurd û ereban. Lê eşîretên ereban yên mezin û hin eşîrên kurdan jî ji vê aciz bûn. Nedixwestin ev plan bi serkev e.

Barzanî jî êdî rewş fêm kir û texmîn kir wê di rojên pêş de qewimandinên ber bi xerabûnê de pêk bên. Barzanî çend muhawele kir da ku Ebdulkerîm ji ser rêya rast venegere, lê weke wî jî nebû. Ji ber vê bû, Barzanî xwest vê rewşê rast bike. Çend caran daxwaza hevdîtina bi Ebudlkerîm kir, lê wî bi zanetî ew daxwaza Barzanî bi şûn de dida. Lewma jî Barzanî rewşa ber bi xerabûnê ya dûr dît, fêm kir rewş ber bi hilweşandineke mezin ve diçe. Wî ew xetere dît û bi awayekî temamî 11.9.1960'an dev ji Bexdayê berda hat li devera Barzan bi cih bû.

Tevliheviyeke mezin li Iraqê pêk hat, derbe li ser derbê hatin çêkirin. Gelek ji sedemên van tevliheviyan weke kurd dihatin dîtin. Lewma jî kurdan hêza xwe topkirin. Li hember tade û qetlîamên bi destê ereban dihatin kirin, bi biryara partiyê Şoreşa Îlonê di 11' meha 9'an di sala 1961'ê de destpê kir. Di wê şoreşê de guleya ewil, ew bêdengiya girtibû li Kurdistanê têk bir, çirand ango rakir. Ew guleya ewil bû, ji nû de deng derxistina kurdan û serîhildana wan ya li hember dijmin bû.

Şoreşê bi serokatiya Barzanî heta 11'ê Adara 1970'an domand. Li vir dijmin dîsa lawaz ketibû. Ji xwe çi dema dijmin lawaz diket, ji bo xwe ji nû de xurt bike her doza li hevkirinê ji kurdan dikir. Vê carê jî wiha bû û Peymana Adarê li gel hin kêmaniyan hatibû îmzekirin. Ji ber ku di wê peymanê de mesela Kerkûkê nehatibû çareserkirin, Barzanî got ya Kerkûk ya jî em ê dest bi şer bikin. Wî gotibû; "Kerkûk dilê Kurdistanê ye." Lê dijmin piştî bêhnvedanekê, ew daxwaza Barzanî pêk neanî û kurd mecbûr man ku dîsa dest bi şerê xwe yê azadiyê û parastina erd û miletê xwe bikin.

Bi vê yekê şerê kurdan bi her awayî berdewam kir. Barzanî digot: “Heta ku mesela Kurkûkê çareser nebe û mafê kurdan binpê bibe em ê şerê xwe bikin. Xwe û gelê xwe biparêzin.”

Belê kurê min, şerekî bê aman di navbera dewletê û Barzaniyan de destpê kir. Şer ji bo azadiya welatê bindest Kurdistana delel bû. Şerê iraqiyan ji bo tunekirina kurdan û dagirkirina welatê kurdan bû. Vî şerî heta sala 1975’an berdewam kir û di vir de, hemî cîhan li kurdan bû yek. Dostek, hevalbendek û piştgirekî wan derneket.

Welatê min Sovyeta ku digot; ‘em mafê neteweyên bindest diparêzin, em li gel mezlûmanin’ jî derew dikirin. Te digot qey haya wan ji Kurdistanê tune ye. Te digot qey yên li Iraqê şerê ji bo azadiya welatê xwe dikirin, ne kurd in. Lê divê neyê ji bîrkirin li vê dinyê her tiştek li ser hîmên berjewendiyê hatiye avakirin. Wê demê berjewendiya miletan di kurdan de tune bû. Berewajî wê hemî cîhan li gel, Iraq, Îran, Sûrî û Tirkiyê bû. Dewletên mezin ji ber berjewendiyên gelê xwe û welatên xwe, berjewendiyên wan li gel dewletên Kurdistan dagirkiribûn, hebû. Lewre bazara wan dewletana ya nû di van dewletan de zêdetir bû. Ji bo berjewendiyên xwe, wan Kurdistan ji bîr kiribûn. Hem tiştên xwe difrotin wan û hem jî, nefta wan, hebûnên ser erd û binderdê wan ji bo berjewendiyên xwe bi kar dianîn.

Lê yên me feqîrên kurdan wê demê ji çiyayên Kurdistanê û ji şerê azadiyê pêve tu tiştekî me yê din tune bû. Lewre jî cîhanê zêde guhê xwe nedida kurdan. Lê tu niha dibînî piştî azadiya başûrê Kurdistanê hêdî hêdî berê hemî cîhanê li vir e. Belê kurê min, divê tu car neyê jî bîr kirin, her tiştek xwe li gor berjewendiyê dihûne. Lê hê kurdan ev baş fêm nekirine.

Me behsa windakrine şer kir ne? Aha belê belê hate bîra min. Dema kurdan di sala 1975'an de dîsa şer winda kir, dijmin û hin ji kurdên xwefiroş ku alîkariya dijmin dikirin ji bo hemî Barzaniyan têk bibin, li ser kar bûn. Lewma gelek ji kurdan û hin eşîrên kurdan ji ber vê gelek kêfxweş bûbûn.

Lewma wê demê Barzanî mecbûr man bibin du beş. Ji ber beşek ji yên pêşmêrge lê zîrek, ciwan, jêhatî û kêrhatî li gel Barzanî çûn Îranê. Û beşên din yên sivîl jî li devera Barzan li ser erdê xwe man. Mebest ji vê ev bû, bi çûyina Barzaniyan ya îranê ji bo weke dema Mehabadê kurd bi temamî têk neçin bû. Mana kesên sivîl li ser erdê xwe ji bo parastina erd û ne bicîhkirina ereban li wir bû.

Lê vê carê Barzaniyan li gel malbatên xwe zortirîn zehmet dîtin. Vê carê ji hemî carên din bêtir zor û cefa kişandin.Te digot belkî ev koçberî û ji cihê wan rakirin tenê para kurdan û bi taybetî ya Barzaniyan bû. Dijmin gelek caran Barzanî mecbûrî koçberiyê, ji welatê wan dûrxistinê kiribûn. Lê her carekê Barzanî bi hêztir û bi qaweteke mezin li welatê xwe vedigeriyan û şerê azadiya xaka xwe dikirin. Vê carê jî wiha bû...

Zilm û tadeyên dijmin dida xelkên devera Barzan gelek dijwar bû. Piştî salekê lê vê carê dîsa pêşmêrgeyên qehremanên gelê xwe, dest bi şerê azadiyê kirin. Kom bi kom, mifreze bi mifreze li ser çiyayên xwe belav bûbûn. Car carna ji çiyan dadiketin û qerokolên Iraqê gulebaran dikirin. Bi vê yekê xuya dibû kurd wê her şerê xwe bikin, heta xwe bigihînin azadiya xwe.

Pêşmêrgeyên qehremanên gelê Kurdistanê hêdî hêdî, qonax bi qonax, li welatê xwe vedigeriyan da ku welatê xwe ji nav destê dijmin derxin. Welatê xwe azad bikin û dewleta xwe damezirînin. Ji ber vê bû roj bi roj şer mezin û destkevtiyên kurdan zêdetir dibûn. Serok Barzanî jî weke her car dema mecala vegerê dît, li gel pêşmêrgeyên xwe vegeriyabû ser erdê di bin lingên dijmin de dinaliya.

Weke niha tê bîra min. Şerê azadixwazên gelê kurd û yê dijmin gelek gur bûbû. Rojekê pêşmergeyên qehraman zirareke gelek mezin dabûn dijmin. Nehiştibûn dijmin bi pêşve here. Ji ber wê zirara mezin, leşkerên Iraqê bi şûn de reviya bûn. Vê kêfxweşiyeke mezin xistibû nava kesên devera Barzan. Dijmin ji ber pêşmêregeyên qehraman reviyan. Lê li gel sê şehîd û deh birîndaran pêşmerge bi ser ketibûn. Ji ber ku doktor kêmbûn, derman zêde tune bû, hin caran yên birîndar canên xwe ji dest didan. Gelek caran ez bi xwe bi vî halê xwe yê nîvxwendî bûbûm doktorê wan. Min birînên wan didirût û derman dikir. Êvarekê bi şev nivê şevê bû, ji xwe bêtirîn pêşmerge wê demê dihatin gund ku kesek zêde bi wan nehese. Li deriyê me xistin Ez rabûn min derî vekir, min dît du pêşmerge li ber derî rawestiyan e. Min got:

- Fermo werin hundir. Herdu derbas bûn û yekî ji wan got:

- Meta Tolga weke tu jî agahdar î, di vî şerê dawiyê de me zirarek mezin da dijmin. Lê me jî sê cangorî dan û çend birîndarên me hene. Me xwest tu haziriya xwe bikî, çantê dermanan bide me, em herin çiyê. Belkî tu ji wan çend kesan xelas bikî.

- Bila ser çavan, hema ez xwe hazir dikim, kurên min.

Piştî demeke kurt, wan çantê min hilgirtin, em bi çiyê ketin. Bi ronahiya destê sibê, me xwe gihand nava hêza pêşmêrgan. Li çend cihekî nalîna kesên birîndar dihat. Ez hinekî rawestiyam heta ku baş ronî bibe. Dûv re ketim nava birîndaran li gor zanîna xwe, min dest bi karê xwe kir. Ha li wir ha li vir. Yek li gel yekî min derman dikir, birînên wan didrût. Bawerim roj hatibû nîvro lê min her karê xwe dikir yên birîndar sax bibin. Îmkan û dermanên me jî gelek kêm bûn. Ez li ber birîndarê herî birîna wî xeter bûm, bi meqesa destê xwe hêdî hêdî min çermê birînê yê zêde dikişand û meqes dikir. Bi pembo xwîna wî dida sekinand.

Bi wê xebatê bi wê cahdê haya min qet ji serok Barzanî tune bû ku ew li ber min sekinîye û li halê min û şerpeziya min dinêre. Dema karê min qediya rabûm, min dît serok Barzanî vê carê bi kincên xwe yên pêşmerga li ber min sekinîye. Min ew yekcar nasî. Lê ew vê carê ne weke li sovyetê bû. Li wir bedlekî xweşik û qirawata wî hebû. Lê niha şalûşapik lê bû. Rextê xwe yê çarparçe girêdabû. Xencera wî di ber zikê wî de bû. Dema min paçê ji bo zêde bêhn neyê min li ber difin û li ser devê xwe girêdabû daxist, wî yekser li min mêze kir, sekîni û got:

- Ma tu ne ew Tolgaya te di kombûna me ya li Sovyetê de axifî bû?

- Belê ya serok ew ez im. Niha jî birîndarên xwe derman dikim.

- Belê belê tu ew kes î. Tim behsa te dihat kirin tu tê pêşmergeyan derman dikî ne?

- Belê lê tenê wazîfeya xwe dikim. Ew jî ne tiştekî zêde ye.

- Wele min gelek nav û dengê te bîhîsti bû. Pêşmergeyan her behsa te dikir. Xuya ye carekê jî dema tu li mal vegeriya bû leşkerên Iraqê tu birîndar kiribûn ne?

- Belê, dema li mal vegeriyam çantê min ê dermanan jî bi min re bû.Yekser li leşkeran rast hatim, min nexwest xwe teslîmî wan bikim. Hema reviyam. Wan got bisekine ez ber bi çiyê de reviyam. Wan ez gulebaran kirim, lê guleyek li lingê min ê rastê ket. Lê ji ber ku gule tenê di guşt re derbas bûbû, zêde xeter nebû. Min xwe xilas kir, lingê xwe derman kir û bişev vegeriyam mala xwe.

- Wele tu qehremaneke hêja yî.

- Na ya serok ez wazîfeya xwe dikim.

Xuya bû kêfa Barzanî gelek ji min re hatibû lewma wî bi ken li min nêrî û got:

- Tolga xan, ez te ji Sovyetê de dinasim. Tu gelek hêja û weke kurdperwerekê yî. Ka were em êdî navê te jî biguherin bikin kurdî. Tu çi dibêjî?

- Ez jî dibêjim wê baş be. Hema ka tu navekî li min bike bila ew nav heta mirinê û piştî mirinê jî bê bi bîranîn.

Barzanî qet nefikrî te digot qey wî ew navê min ê nû ji berê de hazir kiribû. Lewma got:

- Bila navê te Gulxanim be. Yanî tê ji niha û pê de Gula Mistefa û Xana Kurdan bî. Kurd bi xanedanên xwe bi nav û deng in. Bila tu Gula Mistefa bî ji bo ku ew li te mêze bike û tu neçilmisî. Bi ken got.

- Ya serok! Min jî ev nav bi serê xwe qebûl e. Ji niha û pê de ez Gulxanim im. Êdî divê herkes bi vî navî gazî min bike.

Dema pêşmergeyên qehreman ji nû de dest bi şer kirin, dijmin dîsa har û şêt bû. Bi hêrseke gelek mezin xwestin kurdan tune bikin. Wan çi dikirin, kurd xelas nedibûn. Vê carê hukumetê li hember êrîşên pêşmergeyan li gel eşîretên xwefiroş biryareke nû dan da ku bi vê yekê kurdan û bi taybet Barzaniyan biqedînin.

Her çiqas Seddam cigirê serokwezîr jî bû, lê hemî kiryarên xerab û dijminatiya kurdan ya herî zêde wî dikir. Lewma wî dît, ew nikare kurdan biqedîne rojekê bangî hemî eşîrên kurdan yên li gel wî bûn, kir. Kombûn bi rêveberiya Seddam dihate meşandin û di kombûnê de ew rabû ser xwe û got:

- Birano, em çi dikin û nakin nikarin van Barzaniyan ji holê rakin. Ez baş bawerim, çi dema Barzanî nemînin, wê welat êdî bibe yê we û me.

Birano! Hûn jî kurd in, xwedî eşîrên mezin in. Lê Barzanî rehetiyê nade we û me jî. Çi dema em ji Barzaniyan xelas bibin Kurdistan a we ye. Hûn çawa bixwazin hûnê wisa bi rê ve bibin. Ji ber vê divê em li gel hev baştir kar bikin da ku Barzaniyan ji holê rakin. Em çi dikin bi wan nikarin. Lê hûn bi xwe jî kurd in. Min xwest fikra we jî bigrim da ku em ê bi hev re çawa wan tune bikin. Ez dizanim, kurd ji kurdan fêm dike. De ka hûnê çi bêjin, em çi bikin? De îcar gotin ya we ye.

Piştî gotina Seddam xuya bû kêfa serokeşîrên xwefiroş gelek hatibû. Lewma yek ji wan rabû û got:

- Belê hûn jî rast dibêjin. Tu bawer bike em jî weke te, bi qasî we dixwazin ji Barzaniyan xilas bibin. Em bi xwe jî nizanin, ew çi dixwazin. Ew zor û tadê didin me jî. Ji me re dibêjin hûn jî çima li hember Iraqê şer nakin. Ma gelo em ê şerê çi û kê bikin! Ma dibe misilman şerê birayê xwe yê misilmanan bike. Heger şer nebe kêfa me li cih, rewşa me hemiyan baş e. Divê em welatê xwe ango Iraqa xwe ji dijminan biparêzin. Lê bi rastî ez fêm nakim ev Barzanî vê hêza xwe ji ku digire ku ew qas dikarin şer bikin. Direvin Sovyetê, dîsa tên. Direvin Iranê va ye dîsa dest bi şer kirin. Em ê jî vê carê bi haziriyeke mezin li hemberî wan li gel hukumeta xwe şerê wan bikin. Wekî din tu rê ji me re nemane.

Vê axaftina serokê eşîra xwefiroş kêfa Seddam baş anîbû. Dema wî qise dikir, Seddam di berxwe de dimizmizî. Piştî wî necamêrî axaftina xwe qedand, Seddam li ser lingan ji bo wî li çepikan xist. Dema wî jî Seddam wiha dît, tune mabû bifiriya. Heger wê demê hêz û qaweta wî heba, wî dê hemî Barzanî bikirana qurbana wan çepikên Seddam yên sexte.

“Erê dinyayê. Dijmin çi demê bi kurdên xayîn ên li gel xwe re keniyabin, çepik bo wan lê dabin, dinya dibû ya wan. Bi saya kenekî ne ji dil, bi lêdana çepikên ji bo tunebûna kurdan, kurdên xwefiroş aqil berdidan.

Ma ne di dîroka kurdan de serpêhatiyên wiha pir in. Ma ne dijmin tim bi çepikên derewîn, bi kenê ne ji dil, kurd kirine dijminên hev. Ev ne tenê li Iraqê wiha ye. Ka carekê bala xwe bidin bakurê Kurdistanê.

Ma yê Şêx Seîdê Pîran xist kî bûn? Gelo yên ku ne hiştin ew û şoreşa wî bi ser keve kî bûn? Ma dîsa hin eşîrên bi kenên derewîn, bi çepêkên ji bo qirkirina gelê me lê diketin, bû. Ma ne şoreşa Dêrsimê, Koçgirî, Agirî û Zilan bi destê xayînên kurd têk çûn. Dijminên me baş dizanin em ê çawa bibin dijminên hev û em ê çawa xwe bi xwe qira hevdu bînin."

Serok eşîretekî din yê kurd dît, çepikên baş ji bo kesê ewil axaftin kir, lê ket lewma wî xwest bi axaftina xwe tiştên ji bo tunekirina kurdan baştir bêje, da ku ew ji yê berê bêtir aferîmekê bigire û çepikên derewîn ji bo wî bêtir lêbikevin. Lewma wî destê xwe bilind kir, Seddam bi kêfxweşî got:

- Kerem bike bira. Niha dora te ye.

Serokeşîrê me bi awayekî ji xwe bawer hat heta cihê axaftinê, berê carekê du caran li dora xwe nêrî. Dît ku Seddam bi kêfxweşî li rewşa wî dinêre. Kêfa wî jî hat û got:

- Belê em niha ji bo têkbirina Barzaniyan li vir kombûne. Rast e. Heta Barzanî hebin ne ji me re û ne jî ji hukumeta me ya delal, baş û rind re rehetî tune ye. Divê em çi bikin? Ez bi xwe gelek li ser vê yekê fikirîm. Bi rastî êdî Barzaniyan em hemî aciz kirin e. Hukumeta me çi dike dawiya Barzaniyan nayê. Lê min rêyeke ku em ê bikaribin vê carê dawiya wan bînin,dîtiye.

Dema wiha got, çavên wî çûn ser Seddam. Nêrî ew bi awayekî baldar li wî guhdarî dike. Vê bala serokeşîrê me yê xwefiroş bêtir kişand. Lewma axaftina xwe wiha berdewam kir.

- Belê min rêya em bikaribin wan biqedînin dît. Ew

rê jî gelek hêsan e. Va ye birêz Seddam jî li vir e. Bila ew û hûn hemî birayên ezîz baş bifikirin ku em vê carê Barzaniyan rakin wê heta dinya hebê êdî neyên ser hişê xwe. Ez dibêjim, heta xelkê deverê li gundên xwe bin, wê pêşmêrgeyên xayînên welatê me û êşêrin bi alîkariya wan dikin, dê hebin û hebin. Ma gelo pêşmerge xwarina xwe ji ku tînin? Ma gelo zêdebûna Barzaniyan ango zarokanîna jinên wan çawa dibe? Belê ew êvaran ji çiyan dadikevin gundê xwe li ba jinên xwe radizên. Xwarinên wan, çek û alîkariya wan dîsa gundiyên wan dikin. Ez dibêjim; em devera Barzan vala bikin. Bi valakirina wir wê hêza pêşmergan jî bê şikandin. Êdî wê ne zarok çêbibin, ne jî wê ji wan re alîkarî bibe û piştgirî bê kirin.

Axaftina xwe qedand, berî here cihê xwe dît ku wecê Seddam dikene. Seddam ji cihê xwe rabû, çû ew pîroz kir, maçî kir û got:

- Bi rastî tu birayê herî bi doza xwe ve girêdayî yî. Her bijî tu. Me heta îro çawa bîra tiştekî wiha nedibir. Ez ê emir derxim û sibê dest bi valakirina devera Barzan bikim. Bê ka vê carê wê Barzanî bikaribin çi bikin?

Ji kêfa devê Seddam nediçû ser hev. Xuya bû ev gelek bi xweşa wî jî çûbû. Çawa heta niha tiştekî wiha nefikirî bû, şaş mabû. Keniya û di berxwe de got: “Belê Barzanîno vê carê ez ê dawiya we bînim. We bê zuriyet bihêlim. Ez ê li gor pêşniyara birayên we, we biqedînim. Ka hela bila carekê ez we biqedînim. Ji ev ên niha li ba min in û weke kûçikên bê xwedî li benda kurtîlan in, Xwedê mezin e. Ew rehet in, got û di berxwe de keniya…

Erê kurê min divê kurd vê gotina pêşiyên xwe baş bi bîr bînin. Ev gotin ji tecrubeyan derketiye, ji serpêhatiyan hatiye bikaranîn. “Kurmê darê ne ji darê be dar xulûle nabe.” De bala xwe bidê, wê gotina serokeşîrê xwefiroş ya digot “divê devera Barzan vala bibe” anî bîra dijmin. Dibe dijmin tiştekî wiha nizanibû. Dibe tiştekî wiha nedihat bîra wan. De ka lê binêre. De ka ji vê re em çi bibêjin. Dijminên me jî baş ji me fêm kirine. Ew dizanin ji kurdan pê ve kesek nikare wan biqedîne. Aha rêya qedandina Barzaniyan dîsa ji devê kurdekî derket. Ma êdî hukumet disekine. Hey hawar ev kurd çi qas dijminê miletê xwe ne. Hey hawar ev çi qewm e tenê dijminatiya hev dikin! Min gelek xwendiyê. Li ser dîroka kurdan û gelek neteweyên din min bi dehan pirtûk xwendine. Lê li miletekî din weke kurdan rast nehatime.

Ew pêşniyara serokeşîrê xwefiroş kete jiyanê. Koçberiyeke nû, malwêraniyeke taze ji bo kurdan û Barzaniyan destpêkiribû. Lewma Seddam li gel biryara hukumeta xwe ya zalim biryar da ku Barzaniyan ji gundê wan rakin . Dijmin bi vê yekê xwestin cihê serîhildanan, cihê qehramaniya kurdan vala bike. Li gor wan, valakirina wir, wê bibe qedandina serîhildanên kurdan û têkçûna vê berxwedana nû. Qedera kurdan wiha ye. Bi destê xwe mala hev xirab dikin. Bira dibe dijminê bira û dijminên xwe li ser serê hev dikin axa.

Ez tê nagihîjim. Ez fêm nakim ku çima ev qewmê herî kevn li vê cîhanê wiha bi hev ketine. Gelo ji nezaniya wan tê. Gelo ji cahilî û nexwendina wan tê. Gelo ji ber ku bi salan e bindest in, terbiye û qarekterê bindestiyê girtine. Qebûlkirina ehlaqê bindestiyê, qebûlkirina hemî xerabî û nebaşiyan in. Ax qederê, ax qederê! Te mala kurdan xerab kir, te mala wan wêran kir. Te kurd kirin dijminê kurd. Ax qederê ma tu çi ji wan dixwazî! Lê ji qederê wêdetir dema mirov ne xwedî welatê xwe be, halê mirov wê tim koçberî be.

Aha binêrin. Dijmin nehişt em li ser erdê xwe bimînin. Nehiştin em di malên xwe de bisitirin. Ji ber ku dijmin Barzanî baş dinasîn. Wan dizanî hema mecal bibe, yên li gundan jî weke pêşmergeyên qehraman alîkariya birayên xwe yên serê ciyan dikin. Ji bo Iraq pêş li vê bigire, em ew kesên sivîl li gundên xwe mabûn, birin başûrê Iraqê bi cih kirin. Lê tu bawer bikî kurê min li wir jî em tûşî gelek zor û zehmetiyan bûn. Jiyan ne jiyan bû. Hal ne tu hal bû. Lê her em difikirîn wê Barzaniyên li serê çiyan me ji vî halî xilas bikin. Her ev bawerî bi hemî Barzaniyan re hebû. Ji bo ku em rojekê li welatê xwe vegerin, me li berxwe dida û her jiyan berdewam bû.

Em di kampên Seddam de dijiyan. Me qet rojekê madê xwe li hember dijmin xerab nekir. Em her li hemberî wan serbilind bûn. Lewma min li wê kampê kurê xwe Mihemed bi bûka xwe ya niha, bi Safiya re zewicand. Ji ber ku Barzaniyê nemir tim digot: "Dijmin me dikujin, ji bo zuriyeta me kurdan û Barzaniyan xilas nebin, divê hûn bizewicin û zarokan çêbikin. Her yek dibû cangorî divê li şûna wî/wê dehên din bêne dinyê." Ji ber vê yekê bû wê demê Barzanî û kurd zû dizewicîn. Me li gor şertên em tê de bûn, daweteke biçûk li gor îmkanên wir amade kir. Êdî ez bûbûn xwesiya Safiya. Wiha xuya dibû ez ê di demên pêş de bibama dapîr jî. Aha tirsa min ew bû. Heta mirov nebe dapîr, mirov bi xwe nizane, mirov pîr e yan na. Lê dema neviyên mirov çêbibin û gazî bikin bêjin; "pîrê", wê demê mirov tê digihîje êdî berê mirov ber bi dinyayeke din de ye.

Belê felekê roj bi roj xerabî û nebaşî û bêşansî bi ser kurdan de dihat. Seddamê har hêdî hêdî desthilatiya xwe xurt dikir. Wî çavên xwe yên mizawir bera serokatiya Iraqê dabûn. Lewma her karê wî ew bû ku heval û hevalbend ji bo xwe amade bike. Kir jî. Û di sala 1979'an de li Iraqê her tiştek li gor dilê wî pêk hat, derbe kir û ew bû serokê Iraqê. Dîsa weke gotineke pêşiyan dibêje; "Sal bi sal xwezî bi par." Bi hatina Seddam bi temamî cî û war li me kurdan bû agir. Barkirin, koçkirin û qirkirin bêtir bû. Te digot qey Seddam tenê ji bo kurdan bikuje derbe kir û hate ser hukum. Lê wî çi kir wî jî nikaribû kurdan û bi taybet Barzanî biqedîne. Bi vê yekê ew bêtir şêt û har dibû. Weke kûçikê har ku kef bi dev diket, lêhatibû. Bi hemî hêza xwe ya leşkerî li hember pêşmergeyên qehraman şer dikir, lê bi ser nediket. Bi biryara wî, gelek gund hatin şewitandin, hatin vala kirin, lê dîsa jî kurd her hebûn û şerê xwe dikirin.

Kurê min weke min got; Seddam bi rastî jî êdî tam har bûbû. Her çiqas berê jî gelek tişt bi destên wî yên qirêj hatibûn kirin, lê dema wî darbe kir û hukum bi temamî xiste destê xwe, bêtir har bû. Te digot qey ew ji bo qirkirina Barzaniyan, tunekirina gelê kurd bûye xwedî desthilat. Ji xwe di rojên pêşde wî ev yek jî pêk anî. Lê daxwaza wî ya tunekirina Barzaniyan û gelê kurd pêk nehat. Em ê dûv re bêne vê mijarê bê wî çawa dixwest me tune bike. Sedema Enfalkirina Barzaniyan ji bo çi bû? Em ê lê vegerin.

Piştî em Barzanî li kampa başûrê Iraqê bi cih kirin, her me xwest em xwe zêde bi destên dijmin bernedin. Me carna bi dizî ji hev re digot; ev dijmin e, dikare her tiştî bike. Lê divê em li hember hemî helwestên wan yên ne mirovane xwe teslîmî wan nekin. Divê her serê me bilind û cehda jiyanê bi me re xurt be. Divê em jiyana xwe nedin sekinandin. Lewma jî kesên ketibûn dema xwe ya zewacê me ew dizewicandin. Min jî kurê xwe Mihemed li wê kampê bi Safiya re zewicand. Li wir bi navê Kazim, Hazim du neviyên min çêbûn.

Belê kurê min çi felek û çi afat bû dihate serê me kurdan, em rehet nedibûn. Me rehetî nedidît. Dinya li hember hemî kiryar û van bûyerên hovane ku dihat serê me kurdan bêdeng bûn. Ji ber bêdengiya cîhanê û wan kiryarên nemirovane, em her bi derd û êşan dijiyan. Çi dema berê xweşî û şahiyê bi me ve vedibû, belayek jî bi wê re dihat. Niha jî wiha bû. Şerê pêşmergeyên qehreman roj bi roj bi pêş de diçû. Şerê Iraq û Îranê bû. Lewma rewşa me kurdan jî baştir dibû. Bi saya pêşmêrgeyên qehreman û li gor rêbaza Barzaniyê nemir, pêşmêrgeyan hêdî hêdî gavên ber bi azadiya welatê xwe diavêtin. Di şerê Iraq û Îranê de herdu dijminê me jî ango yên kurdan qels diketin. Ev ji bo me baş bû. Lê de were dîsa qedera li hember kurdan ya bi kîn û rik, berê xwe ber bi me de vekiribû. Ketibû nava me, ji bo kesekî ji nava me bibe. Birina kesan, bi biryara qederê û bi destê ezraîl dibû. Ev heqê wan bû. Lê ne heqê wan bû wan her cara şansê kurdan, rewş û halê me ber bi başiyê de biçûya vê qederê nedihişt. Hey qederê de bes e! Ma kurdan çi ji te kiriye! Ma tu çi ji me dixwazî! Hey hawaaar! Em gazî û hawar jî dikin, lê li vê cîhanê tu welat û kes dengê me nabihîze.

Vê carê, belê vê carê got pîra me ya delal, lê bê ku gotina xwe biqedîne hêstirên wê hatin xwarê. Bi awayekî wiha hatin xwarê, te digot qey Behra Reş e bi ser rûyê pîrê de diherike. Êdî hew dikaribû qise bike. Ew hinekî rawestiya. Samî jî nema dikarî bû karê xwe bike. Ew ji spî sar mabû. Wî êdî fêm kiribû ku vê bûyerê tesîreke mezin li pîrê kiriye. Lê wê pîrê çi bigota gelek meraq dikir. Samî tê gihiştibû ku êdî bûyer mezin e. Ji ber ku ev cara ewil bû pîrê wiha bi keder, bi derd û êş didît. Gelo çi bû ev tiştê ewqasî tesîr li ser pîrê kiribû? Gelo çi bû? Pîrê nikarîbû bigota. Ev çi afat û tofan bû ku pîrê nema dikaribû xwe li ber bigirta. Ew pîra wêrek, ew pîra li hember hemî nexweşiyan tim li berxwe dida û alîkariya xelkê dikir. Gelo çima wê nikaribû ev bigota? Samî jî êdî fêm kir, tiştê ku dê pîrê bibêje, gelek mezin e. Lewma wî jî dengê xwe dernexist. Li pîra xwe dinêrî û dît ku car caran hêsirên wî jî tevê yên pîrê dibûn.

"Hey felek bextê re reş be. Hey felek cavên te kor be. Hey feleka tenê karê te bi kurdan mijûlbûn e, tu nahêli an jî naxwazî ew jî weke miletên cîhanê bigihîjin mafê xwe. Tu nahêlî ew jî bi awayekî azad li ser erdê xwe bijîn. Ma ne bes e êdî? Ma vê malwêranî, koçberî, kuştin û şewitandina mal, gund û bajarên kurdan ne bes e? Ka bêje tu çi dixwazî? Bêje em ê çawa pêşî li van xerabûnên tu tînî serê kurdan, bigirî?".

Felekê jî kir gazî û got: "Ma ev bû çend car ku ez dibêjim min tu tişt nekiriye. Tiştên têne serê we kurdan ji bin serê we derdikevin û bi destê we pêk tên. Min çend caran ji bo te got, heger tu li sûcdarekî digerî ew ne ez im. Ew hûn kurd bi xwe ne. Li hev bin, ji hev hez bikin. Qîmeta mezinên xwe bigirin. Bi hev re durust bin. Ji dêvla hûn xwe dikin xulamokên dijmin bibin efendiyên xwe.

Ji xwe re serokekî hilbijêrin û hemî xwe bidin dora wî. Ji bo serokatî û mezinbûnê bi hev nekevin. Ji bo berjewendiyên şexsî bi hev re nebin dijmin. Ji xwe dijminên we pir in. Heger hûn xwe bi xwe jî bibin dijminê hevdu, hûnê bi ser nekevin. Lewma dibêjim; temiya min li te. Rica min ji we ew e, hemî tiştên xerab nexin hustuyê min. Ez ne kûpê xerabûnê me. Gelek tiştên baş bi destên min hatine xuliqandin. Gelek hêjayî bi destên min hatine afirandin. Li xwe bifikrin û her tiştekî ji xwe bipirsin."

Wê rojê, belê wê rojê, Samî kir û nekir devê pîrê hew vebû. Te digot belkî devê pîrê bi deh kilîtan hatiye kilît kirin. Rewşa wê xerab bû. Lewma Samî êdî ji rewşa pîrê tirsiya ku gelo tiştek pê neyê. Her wî xwest li ber dilê pîra xwe here û were lê bê fêde bû. Samî gazî bûka wê kir û got:

- Xwîşka Safiya, gelo çi bi pîra me hat? Hew dikare qise bike. Ez ditirsim tiştek pê bê.

Safiya li Samî vegeran û got:

- Na,na wê bê ser hişê xwe. Gelek caran wiha lêhatiye. Pîra bûye kupê êş, azar û derdên me kurdan, gelek caran lê wiha tê. Di jiyana wê de çend bûyer tenê wiha wê ji fesala wê dixe, hene. Meraq neke, sibê tu dê bikaribî karê xwe bidomînî. Pîra me wê heta sibê nanî jî nexwe. Ya baş ew e, em wê bi tenê bihêlin. Bila ew hinekî li gel rabirdûyên xwe bijî.

Dîsa dengê felekê kete guhên Samî û dibêje:

“Bila bijî, bila bijî dev jê berde. Ka bala xwe bidê tu her tiştê xerab, her gunehkariya mezin dikî para min. Yanî ez felek, bûme dijminê we? Ne wiha ye? Li bûyeran binêre carekê. Li kiryaran temaşe bike carekê û li gor wê rastiyê bibîne. Ev jin bi eslê xwe ne kurd û Barzanî ye. Lê dema ew behsa kurdan dike û dibêje; ‘em kurd û Barzanî’, yanî ev jina xerîb êdî xwe kurd dizane. Lê gelek kurd jî xwe tirk, ecem û ereb dinasin. Aha ferqa we kurdan ev e. Ka binêre bê ev jina rûs bê çawa û çi qas kar û xizmeta kurdan kiriye. Bê çawa ji bo kurdan di nava xebatê de ye. Bê çawa ew dixwaze kurd azad bibin. Û bi qasî ku ew niha ji Barzaniya û ji Barzanî hez dike, gelo çend kurd weke wê hene? Gelo ji we çend kes weke wê difikirin? Hûn çend kes weke wê dixwazin welatê xwe azad bikin? Aha mesele ev e. Dijminê we ne ez im. Hemî girên xwe ji min felekê negirin. Carekê li xwe, li halê xwe bifikirin. Ji bo berjewendiyên xwe yên netewî bibin yek. Li mezinên xwe guhdarî bikin û li gor rêbazekê tevbigerin.”

19

Wê rojê qet starî nehat Samî, her li wê pîra dilbixwîn, kesertijî difikirî gelo çi bû ew ku ew qas hejand? Gelo çi bûyer bû pîrê ji hişê wê bir? Gelo wê pîrê êdî behsa çi karesatên xerabtirîn bikira? Xew li Samî jî herimî bû. Her difikirî û meraq dikir, ev bûyera pîrê hejand çi bû? Lewma serê sibê weke her car zû rabû, hin karên xwe kirin. Lê weke gelek caran kar ji dilê wî nehat. Ew jî ketibû xema pîra xwe. Ew pîra bi eslê xwe rûs lê tim xwe weke kurd dizanî bû, wê ji Samî re çi bigota. Samî bi xem û xeyala heta dema wextê wî yê çûyina ba pîrê hat. Ji cihê karê xwe derket, gav bi gav hêdî hêdî ber bi mala pîrê de meşiya. Çend kesan silav jî dayê lê hindî ew ketibû nava xem û xeyalan silava wan camêran jî nedîtibû.

Samî li ber deriyê hewşa mala pîrê sekinî. Dilê wî lê dida. Gelo tiştek bi pîrê nehatibe? Berê guhê xwe da ber derî bê hela dengê girî û şînê tê yan na. Mal weke her car bêdeng bû. Bi destê rastê hêdî derî vekir û li wî cihê ku pîrê her roj lê bû nêrî, dît pîra wî weke her gav li cihê xwe rûniştiye. Bûka wê Safiya jî xwe li hêla destê pîrê yê çepê dirêj kiribû. Lewma Samî li derî da ji bo bizanibin ew hat. Heta Samî derî vekir Safiya rabû li ser merşa xwe rûnişt. Samî hema yekser çû ba pîrê û destên wê bi zorê maçî kirin û got:

- Pîra min! Wele te duh êvarî ez bizdandim. Tirsiyam, tiştek bi te bê.

- Kurê min, min gelek delavên wiha derbas kirine. Pîra te zû bi zû namire. Va ye hemd ji Xwedê re, min êdî Kurdistana azad jî dît. Heger bimirim jî ne xem e. Aha tu dibînî min neviyên xwe mezin kirin. Min Kurdistana azad ku serokê wê Mesud Barzanî ye dît. Min bi van çavên xwe dît, Serok Mesud Barzanî termên Enfaliyan hilgirt. Ew li devera Barzan binax kirin. Ma êdî ez bimrim jî wê tu tiştek ji min xerab ne be.

- Na pîrê wiha nebêje. Tu hê gelek lazim î. Ma ne va ye tu dixwazî di wê dîroka qirêj de hin tiştên di tariyê de mane, derxî ronahiyê. Ev jî karek e û tiştekî pîroz e. Bila pîra me her bijî.

- De baş e, kurê min em karê xwe bikin. Ez dizanim dema te jî kêm e. Karê te zêde ye. Ma em li ku mabûn.

- Pîrê te dixwest ku behsa tiştekî bikî û devê te hate girtin, çavên te hêsir rêjandin. Wecê te kete rengekî din û tu wiha bê hal mayî heta ez çûm. Ew çi bûyer bû ewqasî tade li te kir? Ew çi bûyer bû tu ewqasî hejandî?

- Belê kurê min belê, bi keder got, çend caran serê xwe hejand û dest pê kir û got: Şerê azadiya kurdan bi rêveberiya Barzaniyê nemir her berdewam bû. Roj bi roj merheleyên baş bi dest dixistin. Lê kurweke gelek caran vê carê jî felekê dev ji me kurdan berneda. Nexweşiyek li Barzaniyê nemir peyda bûbû. Roj bi roj diheliya. Êdî wî jî zanîbû dawiya wî ye. Lewma hin haziriyên xwe jî dikirin. Difikirî ku wê piştî wî, kî dê bikaribe vî barê giran hilgire ser milên xwe û vê şoreşê bidomîne. Lê her ku diçû dernexweşiya wî lê giran dibû. Çû Îranê çare û derman jê re nehat dîtin. Ber bi Emerîka de firiya û li wir, bi wan îmkan û teknîkên wir hemiyan jî dîsa rehet nebû. Û çavên xwe li wir girtin. Xwest ji nava me bar bike. Lê me nehişt. Ew weke cesed ji nava me çûbû lê baweriya wî, xebat û cehdên wî yên ji bo azadiya gelê wî di nava me de man. Ew çû lê ji me re têkoşîneke dûr û dirêj, felsefeyeke neteweyî, rêbazeke mirovahî hişt. Ew çû lê baweriya wî bi gelê wî dihat dê rojekê welatê xwe azad bike. Lê ew çûyin ne di destê wî de bû.

Felekê dev ji wî jî berneda, ew ji nava me bir. Bir lê ew bi hemî hêjayiyên xwe di nava me de ma, di nava me de dijî û wê her bijî. Min duh nikaribû ev bigota. Dîsa jî nikarim behsa wî bi tevayî bikim. Ji ber ku min ew li Sovyetê û li vir jî dîtibû. Ew mirovekî wiha bû ku daxwaziya wî ji azadiya welatê wî pê ve ne tu tiştekî din bû. Lê çavên felekê kor bin, ew ji nava me bir bê ku azadiya gelê xwe bi çavên xwe bibîne.

“Hey felekê ma ka te ji min re ne gotibû ez ne dijminê kurdan im. Ma te negotibû ez tenê ne kûpê xerabiyê me. Ma te negotibû her tişt ji ber serê we derdikeve û bi destê we pêk tê. Ma koçkirina serokê me jî bi destê me bû, hey feleka xedar. Bes e êdî çi kîna te bi me kurdan re heye.” Felekê li min vegerand û got:

“Kurê bê aqil, tu jî êdî bes e, her tiştekî neke sûcê min. Heger serokê we ji nava we koç kir ew dîsa sûcê we bû. Nexweşiya pê ketibû, dîsa ji derdê we bû. Ma ew nexweşî ji kêfa dibe? Sedema wê nexweşiyê ji derd û kederê ye. Ma heta serok Barzanî sax bû gelo we rehetiyek da wî. Li aliyekî dijmin û li aliyê din jî eşîrên kurdên xayîn lê hatibûn xezebê. Ne min çend caran ji te re got. Çi bû, berê sedema wê li nava xwe bigerin. Ez ne dijminê we me .Lê nikarim dostaniya we jî bikim. Hûn bi xwe ne dostên hev in.”

Belê kurê min êdî serok Barzanî ne di nava me de bû. Seddam li ser hukum bû. Şerê Iraq û Îranê berdewam bû. Bi koçkirina Barzaniyê nemir hemî kurdan şîn girêda bû. Kêf û şahî jî ketibû nava hemî dagirkeran. Wan bawer dikirin êdî dawiya kurdan hat. Ji ber ku çi demê, şoreşên kurdan têk çûbin ya serokatiya tevgera wan hatiye kuştin, an hatiye girtin û mirin. Ya bi destê xayinên nava we de têk çûye. Lewma jî bi koçkirina Barzaniyê nemir dijminan kêf dikirin êdî ew ji berxwedanên kurdan azad bûne.

Lê vê carê ne wiha bû. Vê carê ji hemî carên din cudatir bû. Ji ber ku vê carê Barzaniyê nemir, rêbazek ji bo kurdan danîbû. Destûr û bernameyeke neteweyî amade kiribû. Aha ferqa vê carê ev bû. Tam di dema dijmin bawerî anî ku kurd êdî neman, kurdan serokekî nû, rêberekî zîrek bê ku xwe şaşo maşo bikin derxistin. Ji ber ku êdî Kurd bûbûn xwedî rêbazeke neteweyî. Di vê rêbazê de serok û serokatî tenê ji bo pêşevaniya gel e. Lê heger ew bibin cangorî, herin ser heqiya xwe, dê vê carê weke carên din, kurd şerpeze nebin. Lewma jî wiha kirin û piştî Barzaniyê nemir, kurdan bê ku wext derbas bikin û şoreş têk here, Mesud Barzanî kirin serok.

Kurê min dixwazim vê jî bêjim da mesele baştir bê fêm kirin. Di temama serîhildan û berxwedanên Barzaniyê mezin de her Idrîs û Mesud li gel bavê xwe, li gel serokê xwe yê nemir bûn. Barzanî jî gelek ji wan hez dikir, ew di gelek waran de şarezayî meselê kiribûn.

Ji bo gelek civîn û hevdîtinên bi dost û neyaran re, Barzaniyê nemir ew dişandin, lewma karê wî jî hinekî sivik bûbû. Tu ya rastî bixwazî karê nemir bi saya Idrîs û Mesud rehet û baştir pêk dihat. Idrîs bi temenê xwe ji Mesud mezintir bû. Piştî koçkirina nemir divê ew bibûya Serokê Partiyê û şoreş di bin serokatiya wî de bihata bi rêvebirin. Idrîs mirovekî gelek zîrek û têgihiştî bû. Ew û Mesud herdu jî li ser xeta bavê xwe bûn û şarezayê mesela gelê xwe bûn.

Em hemî li bendê bûn û me texmîn dikir ku piştî koça dawî ya serok Barzanî wê Idrîs bibe serok. Lê wiha nebû. Lê wî xwest Mesud vî karî bi rêve bibe û li gor daxwaziya wî Mesud bû serokê kurdan yê nû.

Ez baş dizanim, Mesud ne hewesdarê serokatiyê bû. Mesud her dixwest weke pêşmêrgeyekî bijî. Lê Idrîsê nemir jî wê gavê bi yekitiya kurdan û damezrandina eniyeke neteweyî ve mijûl bû. Lewma wî ev karê pê ve rabû bû ji seroktiyê baştir û pîroztir didît.

Ji ber vê yekê bû wî ew karê serokatiyê da brayê xwe Mesud û xwe bêtir bi karê pêve rabû bû mijûl kir. Daxwaz û armanca wî damezrandina eniyeke neteweyî ya ji hemî partî û rêxistinên başûrê Kurdistanê pêk bîne, bû.

Wî ev karê xwe ê pîroz berî mirina xwe pêk anî. Kurdên başûrê Kurdistanê kir xwedî eneyeke neteweyî û azadiya Kurdistanê bi destê vê eniyê pêk hat. Heger ne ev enî ango cephe bûya, heger ne ew kar û xebata Idrîs bûya, dibe ku kurd îro nebûna xwediyê vê azadiya heyî, yan jî dibe ku ev azadî hê dereng pêk bihata.

Tu bala xwe didê kurê min, her Barzaniyek serokek e. Her Barzaniyek rêberek e. Lê armanca wan hemiyan jî tenê azadiya Kurdistanê ye.

Dema Barzaniyê nemir ji nava me koç kir û dijmin bi koçbûna wî şa bûn ku wê êdî kurd winda bikin, Seddam jî ji vê bawer bû. Êdî kurdan nema dikaribûn li hemberî wî şer bikin. Li gor vê baweriyê em ew kesên li Besrayê di kampan de bûn anîn hewlêrê. Li kampaQuştepe ya bi navê Kudus ya malbata me li vir bû. Ya din Quştepe; Kadisiyê bû, bi cih kirin.

Ji ber ku piştî Barzaniyê nemir, bi laşê xwe ji nava me bar kir, lê her fikir û ramanên wî di nav me de roj bi roj geştir dibûn. Ji xwe edetek kurdan heye, ji siyasetmedar, rewşenbîrên xwe piştî ew dimirin bêtir hez dikin. Ya Barzaniyê nemir jî wisa bû. Lê dijmin bi çavekî din li vê meselê dinerî. Wan bawer dikirin ku piştî koçkirina Barzanî wê gelê kurd bi tevayî teslîm bibe.

Ji xwe ev di dîroka kurdan de her tim wiha bû. Çi dema rêber an jî serokê rêxistin ya jî partiyê hatibe girtin, şehîd ketibe, hatibe dardekirin, serîhildan û berxwedan hemî jî têk çûye. Di dîroka kurdan de ev bi zelalî tê dîtin. Lewma vê carê Seddam jî wiha fikirîbû lewma cihê me guherî em anîn kampên li Hewlêrê. Wî jî bawer kir êdî kurd hew dikarin liberxwe bidin. Yanî dijmin û bi taybet Seddam jî her difikirî bû kurdan winda kir û wan qezenc kir.

Ji ber vê bû dîsa dagirker weke demên berê, bi vê yekê kêfxweş bûbûn. Lewma ew dijminên kurd û Kurdistanê kêfxweş û serbilind bûn. Têl li ser têlan ji hev re dişandin. Pîroznameyên serketinê ji Seddam re dişandin. Lê wan tiştek ji bîr dikirin. Wan ji bîr dikirin Barzaniyê nemir felsefeyek û rêbazek ji gelê xwe re hiştiye. Wan ji bîr dikirin ew rêbaz li gor destûr û bernameyeke neteweyî bi rêve diçe. Wan jî bir dikirin êdî kurd bi rêxistin bûne, li gor wê tevdigerin. Lewma dijminan ji bîr dikirin, eger Barzanî hebe yan tunebe wê êdî kurd şoreşa xwe berdewam bikin. Lakîn wiha jî bû. Kurdan vê carê xwe şaş nekirin. Ew jî li gor wê rêbaza Barzaniyê nemir tevgeriyan û bê ku wext derbas bikin serokê xwe hilbijartin. Serokê nû kirin Mesud Barzanî.

Belê Seddam û her wiha dagirkerên din jî bawerî anîbûn, êdî kurdan winda kirine. Wan qet û qet bawer nedikirin, piştî Barzaniyê nemir wê kurd bikaribin şer bikin. Ji ber ku dijmin dîroka kurdan û kurd jî baş dinasîn. Lê vê carê bi saya wê rêbaza Barzanî danîbû, xapiyan.

Piştî Seddam hate ser hukum û Barzaniyê nemir jî ji nava me koç kir, wî texmîn kir ku êdî kurd hew dikarin li berxwe bidin. Lewma em Barzanî hemî anîn Hewlêrê û li du kampan bi cih kirin. Ji ber ku êdî tirsa Seddam nemabû. Wî êdî bawer dikir piştî koça dawî ya Barzanî ew bi ser ket û kurdan jî winda kir. Li ser vî asasî kêf û şahiyên xwe li dar dixistin. Anîna me ya Hewlerê jî ji ber sedama wî bawer dikir kurdan winda kirî ye bû.

Dema em anîn wan kampan zivistan bû. Wê demê Şerê Iraq û Îranê jî hebû. Em di wan kampan de bê av û ardû, di bin sar û sermê de bûn. Ji ber ku xanî tunebûn, em hemî di çadiran de bi cih kiribûn. Me çiqas daxwaz kir me bibin gundê me. Lê wan ev daxwaza me pêk neanîn. Pîştî me zivistana xwe di wan cadiran de, bê ardû, bi sermayê re derbas kir, wan jî ji bo devera Barzan bi temamî vala bihêle û têkiliyên me û pêşmergeyên me ji hev qut bike, xanî bo me amade kirin.

Me hinekî rehetî di wan xaniyên ku ji bo me çêkiribûn

de dît. Xaniyên ji bo me amade kiribûn ji çadiran baştir bûn. Li gor vî halî jî me jiyana xwe didomand. Heta gelekan ji zilaman di daîreyên dewletê de dest bi kar jî kirin. Ji ber ku êdî tirsa Seddam ji kurdan nema bû. Wî bi kêf digot; 'ez bi ser ketim û kurdan bi temamî wenda kir.'

Lê li aliyên din, serê çiyayên Kurdistanê tijî pêşmerge bûn. Wan pêşmergeyên qehreman, weke gelek caran kêfa dijmin di qirika wan de hiştibûn. Vê carê jî kêfa Seddam di qirika wî de ma. Ne demek dûr Seddam tê gihişt ku kurd neqediyan e û tu niyet biqedin jî tune ye. Vê carê Seddam hem bi kurdan û hem jî bi Îranê re şer dikir. Şerê wan û Îranê gelek gûr dibû. Roj bi roj windakirinên mezin dibûn. Vê hal û rewşa Seddam heta sala 1983'an domand. Wî nêrî ku kurd naqedin û nasekinin. Wî dît ku kurd daxwaza azadiya xwe û parastina erdê xwe dikin. Lewma dîsa ew har bû, şêt bû, nema dizanî bû wê çi bike.

Seddam weke li ser êgir be. Starî nedihatê. Ew ji ber şerê pêşmergeyan gelek aciz bûbû. Li gor gotina eşîrên xwefiroş, valakirina Barzan qedandina wan bû. Dîsa li gor wan koçkirina Barzaniyê nemir bi temamî wê biba bêdengiya kurdan. Lê wiha nebû, wiha derneket. Lewma Seddam ji nû de gazî hemî serokeşêrên kurd yên li ba wî cihê xwe girtibûn, kir. Kombûneke mezin li dar xist. Wî bi xwe di wê kombûnê de got:

- Gelî birayên min ên kurd, serokeşîrên qedirbilind û hêja! Kombûna me ya îro ji ber sedema em ê çawa van Barzaniyan biqedînin e. Heger bê bîra we di kombûna me ya ewil de we gotibû; heger em Barzaniyan ji cihê wan derxin wê biqedin. Lê wiha derneket. Barzanî jî mir dîsa pêşmegeyên wan li hember me şer dikin. Min xwest vê carê dîsa fikra we bigrim ka em ê çawa van Barzaniyên bûne bela serê me û we biqedînin.

Serokeşîrekî mafê axaftinê girt û got:

- Serokê hêja, zana û qedirbilind! Rêberê gelê xwe û kurdan. Ez bawer im divê te Barzanî neaniyana Hewlêrê. Qasî ku agahdar im ew ji vir carcaran têkiliyên xwe bi pêşmergan re datînin. Ez dibêjim ya baş bila ew her li Besrayê bana. Ji xwe Barzanî mir. Yên din jî îro nebe wê sibê doza lêborînê ji we bixwazin.

Lê serokeşîrekî din ê xwefiroş rabû û got:

- Na ezbenî na. Barzanî weke kuvalka ne, li ku datînin li wir zêde dibin. Bi vê yekê em ê nikaribin pêşiya wan bigirin. Ez dibêjim ya baş ew e ku em temama mêrên wan ango zilamên wan, ji 12 saliyê bigirin heta û heta hemiyan bikujin da ku bila tovê wan nemîne. Heger me ji 12 salî û berjortir kuştin heta nivşekî din zarokan çêbikin wê gelek zeman derbas bibe. Yên bibin jî dibe ku êdî ew Barzanî nasnekin. Dibe ku ew jî weke me tevlî avakirina Iraqê bibin û ji canabê Seddam re sujde bigrin. Li gor bîr û ramana min ji vê pêve tu rêyeke din li ber me tune ye ya jî nema ye. De îcar biryar ya we bi xwe ye.

Wiha xuya dikir kêfa Seddam ji axaftina wî re gelek hetibû, ew ji cihê xwe rabû heta hinda wî serokeşîrê xwefiroş çû. Destê xwe dirêjî wî kir, berê ew maçî kir û dûv re ew pîroz kir ku wî fikireke baş, rêyeke delal aniye bîra wî.

Serokeşîrê me yê xwefiroş jî gelek kêfxweş bûbû ku Seddam ev qîmet dabû wî. Wî ji kêfa nema dizanî bû wê çi bike. Piştî Seddam ji ba wî çû, destê xwe li milê wî da û got:

- Bijî û gelek spas ji bo te. Ez bawer im vê carê êdî xilasiya Barzaniyan ji destê me tune ye. Ez jî tiştekî wiha difikirîm. Lê ya te baştir e. Ez ê biryar bidim, em hemî Barzaniyan bigrin û bikujin lê çawa? Hema di kampên wan de kuştina wan wê zerarê bide me.

Dema Seddam wiha got, hema yek ser ji nava serokeşîrên kurd yên xaîn yekî din destê xwe bilind kir û got:

- Ezbenî ew jî rehet e. Divê em tiştekî wiha bikin, bila kesek nizanibe çi bi wan hat. Em wiha bikin ku hem em ê wan bikujin û hem jî wê kesek nizanibe me ew kuştine.

Seddam hema xwe negirt û got:

- Çawa yanî?

- Ez ê ji efendiyê xwe re bêjim. Ez dibêjim ne tenê zilamên di kampên Quştepe de, em bi bajar û gundên din jî bikevin, kesên Barzanî ne û ji wê deverê ne hemiyan bigirin. Em ê bêjin ku îştîma heye. Li gor vê tevan top bikin û bibin hêla Besrayê di nava çolên xwe de wan bi saxî binax bikin. Ji xwe ji kurdan kesek dê nikarbe mirovên xwe pirs bike. Û li hember dinyê jî wê neyê zanîn me çi bi wan kiriye. Dema em wiha bikin wê jinên Barzaniyan jî nezewicin. Ji ber ku ew ê tim li benda mêrên xwe bin. Ez baş Barzaniyan nas dikim, ew gelek girêdayî orf û edetên xwe ne. Jinên wan heta nebînin mêrên wan mirîne wê tu car nezewicin. Ez dibêjim ya herî baş ev e.

Seddam ew bi kêfxweşî pîroz kir. Lewma wî bi dengekî bilind got:

- De baş e, hûn kurd bêtir û baştir hevdu dinasin. Ev plana te jî kete serê min û maqûl e. Ez jî bawer im, heta em Barzaniyan bi tevayî ji holê ranekin wê her tim serîhildanên wan bibin. Ji xwe dostên min Tirk û Faris jî dixwazin ez wan ji holê rakim. Ma ne ev şerê niha di navbera me û Farisan de dîsa ji rûyê kurdan û Barzaniyan pêk hat. Heger ne ji wan be, ez yanî em ê bibin mezinê ereban. Ez ê hemiyan li hev ragirim û bibim mezinê tevan. Di nava ereban de kesekî weke min mezin, zana û têgihiştî tune ye. Lê ev kurd bûne bela serê min. Çi dibe bila bibe divê ez wan li ser rûyê erdê nehêlim.

Serokeşîrekî din yê xulamtiya Seddam dikir, destê xwe bilind kir, mafê axaftinê ji Seddam girt û got:

- Ya Seddam ê mezin. Baweriya me eşîrên ku em niha li ba te ne jî weke ya te ye, em jî wekî te difikir in. Çi dema Barzanî nemînin, em ê devera Barzan ji nû de li gor xwe û li gor bernameyên we ava bikin. Em ê wan deran bikin cihê kêf û şahiyên we. Em ê li seranserê devera Barzan peykerên te daynin. Em ê di çend salan de wê derê bikin ku ew xwe, eslê xwe ji bîr bikin û bi temamî ji canabê te re îtiad bikin. Heger me ev kir êdî tu dibî mezinê ereban û yê me jî. Ji xwe van Barzaniyan nehiştiye em jî li gor dilê xwe li wan deverana tiştan bikin. Lê ez bawer im pêşniyara tunekirina zilamên Barzaniyan wê bibe gava yekem, em ê ango cenabê te, dê bi serkeve. Piştî gotina wî necamêrî dîsa felekê berê xwe da Samî û got:

“Belê Samiyê delal tu tim bela xwe bi min didî. De

ka binêre bê hûn kurd çawa dijminê hev in. Ma gelo bi rastî li ser rûyê vê dinyayê qewmên weke we dijminên hev hene yan na? Ma tu çima bela xwe bi min didî Samiyê delal. Ka li rewşa xwe binêrin. Binêre bê kurd çawa dixwazin kurdan ji holê rakin. Lê tu caran nabînin an jî nafikirin, wê rojekê dawiya wan jî bê. Her tê gotin; kesên ji gelê xwe re nebin, ji tu gelê din re jî nabin.

Aha va ye hê Mahabad, Agirî, Koçkirî, Zîlan û şoreşa Şêx Seîd, ya Dersêmê nehatiye ji bîr kirin. Di wan hemî serîhildan û berxwedanan de kurdan bi xwe li kurdan xistine. Dema şoreş têk çû, ew kesên li ba dijmin bûn, ew jî ya hatin koçkirin ya jî hatin kuştin. Ji ber ku dijmin ji we baştir dizane dema hûn ji xwe re nebin, hûnê ji kesên din re jî nebin. Lê hûn bîra vê nabin. Lewre dijmin bi zanetî hûn cahil, nezan hiştine ji bo hûn her tim bi qewmê xwe re xayîn bikevin."

Vê carê Samî jî weke teslîmê felekê bibe got:

"Belê felekê, tu jî rast dibêjî. De ka em çi bikin. Em ê çawa bikin da ku ji vê xeta xayîntiya di nava me de ye xwe azad bikin. Balo tu rêyekê bide ber me. Ji ber ku em kurd vê wêrankirin, qirkirin, koçkirin û têkçûna hemî serîhildanan ji te dizanin. Hey em nikarin xwe ji vê xilas bikin. Balo tu alîkariya me bike. Fermo tu destê xwe bide pişta me û em ji dijminatiya nava xwe xilas bibin. Bila êdî dijminatiya me û ya te jî rabe ey felek!"

"Ez nikarim alîkariya kesan û neteweyan bikim da ku ew xwe azad bikin. Lê kî çi demê li ser asasê rêyeke rast, bi dîtineke netewî û bi baweriyên durust tevbigerin ez ê wê demê alîkariya wan bikim.

Yê niha vê dike tenê rêbaza Barzanî ye, lê hûn naxwazin ew bi ser keve. Lê qet meraqan neke heta ku ev rêbaz hebe wê kurd bi temamî têk neçin û wê rojekê bigihîjin azadiya xwe. Heta kurd vê rêbazê biparêzin wê winda nekin, wê rojekê serketin bibe para wan. Ev rêbaz, rêbazeke neteweyî ye. Ev rêbaz rêbazeke parastina mafê gelê kurd dike. Ev rêbaz, rêbazeke demokrat û heqsazî ye, tadeyî û mafxwarina kesên din têde tune ye. Tirsa min ew e, hûn kurd vê rêbazê jî piştî koçkirina Barzaniyê nemir xerab bikin. Wê ji qalikê wê derxin û bixin qalikekî ku tenê têde berjewendiya şexsan heye. Lê temiya min li we vê nekin. Heger we kir hûnê ji bo demên dûr û dirêj winda bikin.

Belê Samî yê delal de êdî bela xwe ji min veke. Tu bawer bike min hemî tiştên divê hûn bikin ji te re gotin. Tu jî ji miletê xwe re bêje. Heta kurd rêbaza Barzanî bi durustî biparêzin ew ê bi serkevin. Divê hûn ji bîr nekin, her miletek li gor destûr û bernameyên xwe tevdigerin. Her miletek li gor rêber û serokên xwe dibin xwedî helwest. Lê heta niha ev bi kurdan re pêk nehatiye. Hûn xwedî serokekî neteweyî bûn, lê we qîmeta wî negirt û gelekan ji we li dij wî şer kirin, xwestin xwe û gelê xwe biqedînin. We ew qedand lê wê roj bê milet ango gelê kurd azad bibe.

Ez bi wê bawer im, çi dema kurd bibin yek, li ser asasê yekitiyeke neteweyî xwe li dor serokekî ku bikaribe we hemiyan li hev ragire, bidin dor wî/ê aha hûnê jî weke neteweyên din bi ser kevin.

Çi qas Barzaniyê nemir ji nava we koç kiribe jî, wî ji bo azadiya gelê xwe, ji bo we rê û rêbazek daniye. Heger hûn jî li gor wê tevbigerin aha wê demê hûnê jî weke miletê kurd mafê xwe yê rewa bidest bixin.

Li sûçdar û gunehkaran negerin. Her tişt di nava we de û bi destê we pêk tê. Heta hûn bikaribin, bila kurd bixwînin, zana û jêhatî bibin. Ji ber ku yên nezan tim dikarin ji bo berjewendiyên xwe miletê xwe, birayên xwe bifroşin.

De êdî hûn dizanin. Va ye min alîkariya te û we kir û ya xwe got. Lê serê kurdsn hişk e. Baweriya wan ya neteweyî qels e. Çi dema serê wan nerm bibe wê gavê dê baweriya wan ya neteweyî jî xurt bibe. Dibe ku heta wê merhaleyê gelek tiştan winda bikin. Lê dîsa xem nake". ..

20

Dîsa rojeke kelekela germê bû. Êdî sekin li Samî nemabû. Wî ji pîra xwe gelek tişt fêm kiribû. Fêm kiribû ku sedema têkçûna kurdan çi ye. Tê gihiştibû ku sedema dostên kurdan kêm in, çi ye. Lê li gel vê yekê jî hê karê wî yê Enfalê destpê nekiri bû.

Dem jî li Samî hatibû xezebê, li aliyekî zarokên wî û tenêbûna wan ya li welatê skandinavya, ji aliyekî neqedandina karê wî yê asasî û ji aliyekî de kêmbûna wext, wî nema dizanîbû çi bike.

Guhdarîkirina pîrê, li cem wê rûniştin kêfa Samî dianî. Lê ma ev tim dibû para wî? Na. Samî jî gelek caran difikirî, dê çawa û heta çi demê li ser vî karî be. Ji bo têgihiştina meselê û wê bi gelê xwe û cîhanê vê parvekirina wê, ne wiha hêsan e. Dema wî dest bi xebatê kir ev fêm kir ku gelek wext û zeman ji vê re divê.

Di nava van xem û xeyalan de, dîsa dema çûyîna wî ya ba pîrê hatibû, lê di serê wî de jî geleke pirsgirêk çêbûbûn. Wî bi tena xwe nema dikarîbû wan pirsgirikan çareser bike. Her di nav wan de bê ku çareyekê bibîne mabû.

Weke her car bi vekirina deriyê mala pîrê, Samî dît pîrê û bûka xwe weke hercar li cihê xwe ne û li benda wî ne.

Samî derî vekir kuxuya, herdu jî lê hay bûn, va ye ew hat. Vê carê pîrê hinekî bi kêf xuya dikir. Dema Samî didît pîrê bi kêf e, wî dizanibû tiştekî xweş heye. Samî li cihê xwe rûnişt, deftera xwe derxist, qelema xwe xiste nava tiliyên xwe da ku dest bi pirsên xwe bike. Wiha xuya bû vê carê pîrê bi hazirî bû. Lewma berî Samî dest bi pirsan bike wê bi kêfxweşî hema yekser destpê kir û got:

- Ez dizanim dem jî li te hatiye xezebê. Te du zarok kên xwe jî li dû xwe hiştine. Hezkirin û bêrîkirina zarokan a bav çawa ye, em li vir her roj dijîn. Te jî gelek tişt û ecêbî bihîstin. Tu jî bûyî şahidê dîrokek tenê kurd tê de jiyan e.

Bawer bike kurê min, kêfa min zor ji te re hat. Tu weke Mihemedê min î. Ez dixwazim hemî tiştên dizanim, bêjim. Lê ew bûyerên qirêj ne bi gotinê diqedin ne jî bi nivîsandinê. Heger tu bixwazî hemiyan binivîsînî, tu ava Okyanusê bike hubir wê dîsa têra nivîsandina wê dîrokê neke. Tu bi sedan pirtûkan binivîsînî wê dîsa ev bûyerên qirêj hemî neyên nivîsanidin.

Heger tu li ser rûyê vê dinyayê li miletekî weke kurdan bigerî tê nebînî. Tu miletên weke me kurdan bi êş û azar jiyan e, tune ne.

Tu li qewmekî, li eşîrekê bigere ku weke Barzaniyan hatine Enfalkirin, qirkirin, kuştin û wêrankirin, tê nebînî. Dîsa bi rehetî dikarim bêjim, li vê cîhanê tu qewm, tu eşîran weke Barzaniyan derd û êş nekişandine.

Ev nêzîkî sed salan e ku Barzanî her ji bo azadiya kurdistanê û rehetiya miletê xwe di nava kar û xizmetê de ne. Ji bo vê azadiyê çi ji wan hatiye kirine û dikin. Ji ber vê ezm û berxwedana wan ya li hember dagirkeran e. Dagirker jî hemî li gel hev kar dikin da ku Barzaniyan bi temamî ji holê rakin. Lê nikarin vê bikin. Çima tu dizanî kurê min?

Lewre Barzaniyan di nava ewqas şer û serîhildanan de û bi netewebûna xwe, kar û xebatên wan tenê ji bo gelê wan bû. Lewma jî di nava ew qas kar, berxweden, şer û pevçûnan de wan hêdî hêdî weke miletên cîhanê ji bo gelê xwe destûr û bernemeyek danîn. Rê û rêbazek pêk anîn. Aha newendakirina wan hemî ji bo vê ye.

Barzaniyan baş dizanîbûn bê destûr û bername, bê rê û rêbaz tu milet nikare azad bibe. Bibe jî, wê demkî be.

- Pîra delal ez dixwazim bipirsim ku ev Barzanî kî bûm. Çi kes bûn? Çi eşîr û qewm bûn? Ez dixwazim vê jî tu hinekî vekî û dûre dakevî nava Enfalê. Enfal çi bû? Ji bo çi pêk hat?

- De baş e kurê min ez ê vê daxwaza te jî pêk bînim. Barzanî kî ne? Çima her çar parçên Kurdistanê tim li gel hev dixwestin Barzaniyan ji holê rakin. De ka ez vê jî li gor pirsa te vebêjim.

Kî bûn Barzanî kurê min tu dizanî? Barzanî ne ewbûn ku bi tenê eşîrek, malbatek in. Ew bi tevayê ji heft êşîran in û konferayasyona xwe amade kirine. Ev Konferayasyon xwedî destûr û bernameyekê, xwedî rê û rêbazekê bû. Ew rêbaza wan jî li gor berjewendiya gelê kurd pêk hatibû. Lewma jî Barzanî her neteweyî fikirîne û difikirin. Netêkçûna wan, li ser lingên xwe mana wan aha ji ber wê rêbaza ku wan ji ber tevgera xwe ya azadîxwaz pêk anî bûn.

Belê kurê min Samiyê delal, Mihemedê hêja. Te pîra xwe hem westand û hem jî kêfxweş kir. Lewma dîrokek bi gelek aliyê xwe ve nediyar, nayê zanîn wê êdî bê zanîn. Ji ber wan gotinên xwe bi vê pîrbûna xwe westiyam lê kêfxweş jî bûm.

Binêre kurê min; heger em êdî xwe hêdî hêdî bera nav kûrahiya Enfalê bidin, em ê bibînin bê çi tofan û afat bû ku Seddam anîbû serê me û gelê me. Ji ber vê ye ez bi xwe dibêjim Enfal beşek ango parçeyek ji jenosîdê ye. Çima? Ji ber ku jenosîd qirkirina gelek, wêrankirina miletekî ye. Lê Enfal çi ye? Ew jî tunekirina gelê kurd, rakirin, ango kuştin û binaxkirina wî bi xwe ye, taybetî jî ya Barzaniyan bû. Enfal ji holê rakirina konfederasyona Barzaniyan û terîqeta wan ya welatparêz bû ku tim ji bo azadiya welêt di nava kar û xebatan de bûn, pêk hatiye.

- Pîrê raweste ev çend car in ku tu behsa konfederasyona Barzaniyan û terîqeta wan dikî, kî ne û çima Seddam dixwest wan ji holê rake û ji bo çi? Vê hinekî veke dûv re em derbasî mijarê bibin.

- Kurê pîra xwe herkes Barzaniyan weke malbetekê, weke eşîretekê dizane. Lê mesele ne wiha ye. Ez vê dîsa ji kurê xwe re bêjim;

Dema em lî dîrokê dinêrin, dibînin ku ji sedsala 19'an heta azadiya başûrê Kurdistanê hemî hukumetên Iraqê yek li dû yekê li dijî devera Barzan bûne. Ji ber ku devera Barzan jî tim ji bo kurdan û Barzaniyan bûye weke sîwanekê, hemiyan di bin wê de yekîtiya xwe pêk anîne. Bûye weke keleheke kurdperweran û tim nerazîbûna xwe li dij hemî rejîmên Iraqê û hemî dagirkeran diyar kirî ye. Her wiha ev konfederasyon li dij neheqiyên Ingilîzan, Osmaniyan û Farisan jî tu caran bêdeng nemaye.

Hemî desthilatdarên Iraqê her wan xwestine, devera Barzan wêran bikin. Xerab bikin. Kesên wir koçeber bikin û bikujin da ku wê deverê bêdeng bihêlin. Lewma jî ew dever 16 caran hatiye valakirin, wêrankirin û mirovên wê hatine koçkirin. Barzan ne eşîrek e, ew konfederasyona heft eşîretan e û Barzan bi xwe jî navê gundekî ye. Barzanî û binemala Barzaniyan ku şêxên Neqşîbendî bûn û serokatiya dînî û neteweyî kirine û ji ber edalet û wekheviya di nava wan de, eşîrên din xwe dane dora wan û konfederasyonek çêkirine û ew konfederasyon bi navê Barzaniyan tê zanîn.

Dema mirov bala xwe dide dîrokê, tê dîtin, dagirkerên herçar parçên Kurdistanê tim li gel hev û bi hev re xwestine vê konfederasyonê ango Barzaniyan ji holê rakin. Ya ku divê mirov li ser rawest e ev e kurê min. Gelo çima dijminan her Barzanî xetera mezin dîtine?

Ji ber ku Barzaniyan tu caran serî li hember dijminên gelê xwe nedanîn e. Barzaniyan her xwestine welatê xwe ji bin zilma dagirkeran azad bikin. Lewma Barzanî her neteweyî fikirîne û li gor vê fikrê rê û rêbazek danîne.

Hemî tevger, serihildan û berxwedanên Barzaniyan li gor vê rê û rêbazê hatine meşandin û hê jî wisa tê meşandin. Kî serok be, kî rêveber be êdî ferq nake. Ji ber ku yên rêvebertiyê bikin û dikin hemî jî li gor wê destûr û bernameyê karê xwe dikin. Min berê jî gotibû, dema miletek bibe xwedî rê û rêbazekê, dema miletek bibe xwedî destûr û bernameyekê êdî ew milet wê rojekê azad bibe. Lewma Barzaniyan jî ev pêk anîbûn, hemî dijmin li wan hatibûn xezebê. Hemî dijminan li gel hev ji bo rakirina wan bi hev re kar kirine û dikin.

Aha kurê min ji ber van armancan bû ku Barzanî êdî bûbûn kelemê ber çavên hemî dagirkeran û wan jî tim li hember vî kelemî bi hev re şerê wan kirine û dikin. Heger hin caran nakokî di nava wan de hatibe peydekirin jî, ji ber sedema Barzaniyan, ew nakokiyên xwe tim dane aliyekî. Hemiyan ji bo rakirin an tunekrina Barzaniyan bi hev re weke bira kar kirine, kar dikin û wê hê jî bikin.

Ma ne tu jî ji bo van hemiyan bizanibî û binivîsînî tu ji Swêdê hatî welatê xwe û li devera Barzan bi cih bûyî, ji bo ku tu bikaribî li ser van kiryarên qirêj xebata xwe bi rehetî bikî. Ma ne te xwest tu jî bibî yek ji me da ku xebatekê ango romanekê li ser asasê rastiyê biafirînî. Lewma di nava vê xebata xwe ya bi me re, bi rastî tu jî bûyî yek ji me. Ma ne tu jî bi me re girî û keniyayî. Te bi me re xwar û vexwar. Tu bi me re lîstî û geriyayî. Bi me re çûyî şîn û şahiyan. Lewma tu jî hin aliyê jiyana me baş dizanî. Êşa me baş têdigihêjî. Te jî fêm kir û dît rewşa hemî malbatên Enfaliyan kêm zêde weke hev in. Ji bilî çend taybetmendiyan ferqeq zêde di nava jiyana malbatên Enfaliyan de tune ye. Te bi çavên xwe dît û bi guhên xwe bihîst, li devera Barzan her giriyan in û digirîn. Lê tu caran jî nexwestine ku dijmin bi gira wan bihesin. Di nava dijmin de û li hember wan, tim serbilind û dev li ken bûne. Lê ew tim jî di hundirê xwe de her giriyan e. Ev xaleke asase divê bê zanîn. Ji ber ku Barzaniyan tu rehetî nedîtine. Jinên wan, dayîkên wan, keçên wan her giriyan e û hê jî digirîn...

De baş e kurê min va ye em hêdî hêdî mijara Enfalê vedikin. Ez îro jî westiyam. Li qusûra pîra xwe nenêre. Em ê piştî du rojên din bikevin nav mijara Enfalê. Enfal çi bû? ji bo çi destpêkir, vekin û bêjin. Ez ê di van du rojan de hem westa xwe bigirim hem jî ez ê bifikirim çawa ji ku destpê bikim. Ez ê bifikirim da di nava wan karesatan de yên bêtir qirêj in bînim bîra xwe.

Tu ya rastî bixwazî kurê min ez dixwazim hinekî zêde westa xwe bigirim û di nava vê westê de bêtir bifikirim. Di van du rojan de here hinekî li Hewlêrê bigere, ji zarokan hin tiştan bikire, qe nebe dema tu çûyî mal destvala neçe.

Ha vê jî ji kurê xwe re bêjim; ji ber xebatên xwe, qet ne poşman im. Min gelek tiştên xerab dîtin. Lê va ye tu dibînî êdî welatê min azad e. Nevî û zarokên min li ser erdê xwe bi azadî dijîn.Te jî bi vê xebata xwe gelek zor û zehmetî dît, tê hê jî bibînî. Lê ez baş dizanim di dawiya karê xwe de tê jî bibî xwedî berhem û ev berhem wê ji bo gelê te bibe weke belgenameyekê ku herkes vê dîrokê fêr bibe.

Nivşê me yê nû dê vê berhemê bixwînin û bizanibin te karekî çawa kiriye. Li xebatên xwe poşman nebe. Tê rojekê berhemê vê bibîne û bixwe.

Kurê min, wext gelek çû û ez gotinên xwe, dîtin û zanînên xwe êdî li vir dihêlim. Hê gelek tişt hene divê bê gotin. Lê ez êdî rewşa te jî baş dizanim. Em ê hêdî hêdî derbasî mijara Enfalê bibin. Ew Enfala ku li gor pêşniyar û gotinên eşîrên xwefiroş û li gor kiryara Seddamê devbixwîn ku wî dixwest Barzaniyan tune bike, pêk hatibû, vebêjim. Seddam û hevalbendên xwe tim difikirîn ku çi dema Barzaniyan nehêle wê bi serkeve û doza gelê kurd wê bi temamî têk here.

Belê kurê min dijmin kurdan baş nas dikin û dizanin ku çi dema lazim bibin wê çawa wan bi kar bînin.

Lê wan dijminan tu caran Barzanî nasnekirin û wê nasnekin jî. Wan tu caran fêm nekirin ku Barzanî vê hêz û qaweta xwe ji ku tînin.

Kurê min, Samiyê min, Mihemedê min, tu bawer bike pîra te gelek westiya. Ez dixwazim hema rojek an du rojan em navberekê bidinê. Tu here Hewlêrê ji xwe hinekî bigere, hilma xwe berde. Ez ê jî di wan du rojan de hem hilma xwe vekim hem jî ez ê êdî rewşa roja kiryara Enfalê ji kurê xwe re vebêjim.

Ez dizanim kurê min, gelek dirêj bû, min bi van gotinan ango vejandina dîroka nediyar tu zêde rawestand î. Lê ji bo ku em bikaribin Enfalê fêr bibin divê me sedema wê gotiba û me jî ev kir.

- Baş e pîra delal, bi rastî te tiştên wisa gotin ku divê hemî kurd vê fêr bibin. Ji bo min jî êdî ferq nake çend roj zû çend roj dereng êdî ne xem e. Niha zarok jî fêr bûne bavê wan bi karekî divê bê nivîsandinê re mijûl e. Îro vê nizanibin jî wê sibê heq bidin bavê xwe.

Em du rojan westa xwe bigirin, piştî du rojên din ez ê werim ba pîra xwe da ku em karê xwe biqedînin. Ez baş dizanim ev kar wê tu car neqede, êdî xortên Barzaniyan, rewşenbîrên kurdan wê destbavêje vê. Ê min destpêkek bû û berdewamiya wê hêvîdarim rewşenbîrên me û bi taybetî ciwanên Barzaniyan vê her berdewam bikin.

21

Êdî Samî dizanibû, rojên wî hindik mane lê mijara ew pê ve rabûye hê dûr û dirêj e. Wî jî nema dizanîbû çawa û çilo biryarekê bide. Wê çawa bikiribe li gel pîra xwe mijara Enfalê jî biqedîne û ber bi welatê sermê ango ber bi mala xwe ve here.

Difikirî gelo çima pîrê du roj navber danê. Gelo ev ji ber çi bû. Bi rastî pîrê westiya bû? Ya jî ji bo bêhnvedanê û bîranîna wan karesatên qirêj bû.

Lê tiştekî ku wê Samî bikira tune bû. Biryar ya pîrê bû. Lewma jî Samî telefonî şêxê xwe, xwediyê pêşniyara nivîsandina Berhema Barzan Digirî, Şêx Feryad kir û got:

- Şêxê min pîra min du roj navber da xebatê, min jî xwest werim Hewlêrê da hinekî westa xwe bigirim û heger îmkana te hebe em hinekî din li vê Kurdistana şêrîn bigerin.

- Were Samî qurban, ez dizanim niha tu jî westiya yî. Ez ê jî di van du rojan de îzna xwe bigirim da ku bikaribim bi te re mijûl bibin.

Samî roja din kevte rê û ber bi Hewlêra paytextê Kurdistana azad ve çû, li şêxê xwe bû mêvan. Bi xêr hatin û halê hev pirsîn. Yek, ji ber ku pêşniyara wî ketibû jiyanê kêfxweş bû, yê dîn jî ji ber nivîsandina berhemeke wiha dîrokî dilxweş bû.

Roja ewil Şêx Feryad weke cara berê Samî li nava Hewlêrê û li hin dezgehên kurdan gernad û got:

- Samî can, qurban, Em ê îro tenê li Hewlêrê bin

sibê jî ez ê te bibim, nava birayên me yên êzîdî da ku tu wan jî binasî, wan bibîne, dibe tu rojekê li ser dîroka êzidiyan û şengelê jî berhemekê binivîsînî.

- Bila Şêxê min ez bi vê gelek kêfxweş bûm. Piştî sohbeteke xweş û geş bi derengî şevê xatir ji hev xwestin, Şêx ber bi mala xwe û Samî jî ber bi otêla xwe de çû.

Samiyê me weke her car vê carê jî bêsebir bû, sibê hinekî zû ji xew rabû. Hin haziriya xwe ya çûyinê kir. Xwest dakeve jêr xuriniya xwe bike, lê dema li saeta xwe nêrî dît hê dema taştê nehatiye. Lewma hinekî din xwe farqiland. Piştî taştê telefonek jê re hat, rahiştê û got:

- Fermo şêxê min, ez amade me. Piştî ev gotin guhdarî kir. Xuya bû şêx li jêre xebereke nexweş, ya ne bi xêr bû gotibû. Lewma wecê Samî qelîbî û hêdî got, baş e şêxê min ez ê li benda te bim.

Felekê dîsa Samî tirsandibû. Dîsa felekê xof û xemgîniyek kiribû para wî. Ji ber vê êdî wî bawer dikir vê carê wê Pîrê here û koça xwe bike. Pîra wî nexweş ketibû, ji do de anîbûn Hewlêrê nexweşxanê. Roja ewil pîrê bêhiş bû. Êvarî doktor li halê wê dinêre, serûman didênê. Piştî derengî şevê pîra me çavên xwe vedike.

Heta şêx Feryad hat Samî girt û çûn nexweşxanê roj hatibû nîvro. Bi ketina hewşê Samî dît seranserê hewşê tijî însanên hatine dîtina pîrê ne. Qelebalixke zêde, jin û mêrên Barzaniyan hema hema tevde li wir bûn. Şêx nexwest zêde raweste li gel çend silavan ew û Samî yekser çûn odeya Pîrê. Dema ketin hundir pîrê direjkirî bû. Dema çav li şêx û Samî ket xwest rabe lê wan nehişt. Pîrê got:

- Wey şêxê min û kurê min Mihemed hûn bi xêr hatin. Samiyê min Mihemedê min netirse pîra te hê xurt e. Heta ji te re wê karesatê tevî nebêje, wê bi derekê de neçe.

Belê hindî pîrê ji Samî hez kiribû, hindî kêfa wê ji Samî re hatibû, êdî wê Samî jî weke kurê xwe, Mihemedê hatibû enfalkirin didît. Lewma carna bi navê Mihemd û carna jî bi navê Samî gazî wî dikir.

Piştî bangkirin û gotina pîrê, Samî xwe avêt hembêza wê. Ji ber ku Samî jî ew weke pîra xwe ya rast didît. Pîrê çi demê çav li Samî diket, hema ew karesatên qirêj dihatin bîrê yan jî dianîn bîra xwe da ku ew çawa qewimîne ji Samiyê xwe re bêje. Giriyê wê kela ber dilê wê ji ber vê bû, ew digiriya û Samî jî dest bi giriyê kir, hem giriya hem jî bi wê yekê, telefona ku roja berê zarokên wî jê re vekiribûn hate bîra wî.

Keça wî Dilbaya heft salî jê re gotibû; Bavo ev bû demeke dirêj tu nema tê malê, ez dibêjim tu li wan deran zewiciyî û te em ji bîr kirine lewma tu nema tê. Me gelek bêriya te kiriye tu çima nayê? Ez dibêjim heger tu ne zewiciya bî tê hatiba mal…

- Na keça bavê xwe û delala ber dilê min, ez tu cara tiştekî wisa nakim, hindik kar maye hema çawa qediya têm, delala ber dilê bavê xwe. Ka hela bide David ez halê wî jî bipirsim. Elo David tu çawa yî bavê min. David lê vegerand;

- Heta tu neyê malê ez ê nebim bavê te.

Davidê kurê wî, piştî vefata bavê Samî, tê dinyê lewma wî jî weke edeteke kurdewarî navê bavê xwe lê kiribû. Lewma çi dema David ji bavê xwe hêrs dibû wî digot ez ne bavê te me. Dûv re Samî bi jina xwe Zuleyhanê re jî qise kir wê jî got:

- Wele Dilba dibêje ku tu li wir zewiciyî, ez çiqas jê re dibêjim nerast e jî bawer nake. David jî dîn û şêt bûye. Radihêje meqesê û çi dikeve ber meqes dike, kinc û perdên malê nehiştin.

- Temam cana min, ez dizanim ku tu jî westiya yî, bi rastî ez jî westiyam lê hindik ma hinekî din sebir bikin.

Hê gotina wî neqediyabû weke cara ewil ku diket nava xem û xeyalan û şêxê wî ew bi dengê xwe şiyar dikir, vê carê jî wiha bû û şêx got:

- Samî qurban, de ka bes e em herin bila pîrê westa xwe bigire. Ji nû de Samî nêrî hê ew û pîra xwe serî dane hev û hêsirên xwe dirijînin. Hema got:

- Baş e şêxê min em herin. Li pîrê nêrî û got: Pîrê niha bi xatirê te, dema tu baş bûyî em ê karê xwe berdewam bikin.

- Kurê min pîra te ya derd û kulan tiştek pê nayê. Hema çawa baş bûm wê Hazim te agahdar bike. Wê gavê tê were mal em ê karê xwe biqedînin. Netirse niha tiştek bi pîra te nayê. Ji xwe mijar hindik maye. Ez ê ji kurê xwe re mesela Enfalê jî bêjim û diqede.

- De baş e pîra min, heta tu baş bûyî, vê gavê bi xatirê te

Belê pîra me hatibû mala xwe. Samî bi bihîstina başbûna pîrê gelek kêfxweş bûbû. Roja pîrê xwestibû ew here ba wê, dîsa weke rojên berê, piştî nîvro weke demên xwe yên her car Samî xwe gihand ber deriyê mala pîra xwe. Her Samî difikirî wê pîrê nikaribe wan karesatên hatine serê Barzaniyan û gelê kurd bêje, lê dîsa li gor gotina pîrê û agahdariya wê ew li wir bû. Deriyê hewşê hêdî vekir û dît ku pîrê û bûka xwe dîsa weke carên berê xwe dirêj kirine. Lewma Samî kuxiya bi wê koxika wî re, herdu jî pê hesiyan ku ew hat. Hema pîrê bi kêf bangî Samî kir:

- Samî kurê min were netirse tiştek bi pîra te nayê. Ma çi ecela min heye ez niha herim, lawo. Hê karê me neqediya ye. Piştî qedandina kar êdî herim jî ne xema pîra te ye. De ka were kurê min îro hinekî din xwe nêzîkî min bike. Gelo em ê ji ku de dest pê bikin ango em li ku mabûn?

- Te herî dawî behsa Barzaniyan kiribû, ew kî ne? Çi ne? Hêza ku wan li ser lingan dihêle kîjan qawet e, te gotibû. Niha dixwazim tu êdî derbasî mijara Enfalê bibî.Enfalê çi wextî û çawa destpê kir? Em ji wir de êdî mijarê vekin û tu bêje ez jî binivîsînim.

- Baş e kurê min. Ser çavan. Heger min carna hin tişt ji bîr kirin jî tu wan bîne bîra min, got û destpê kir.

- Enfalê care yekem di 31.07.1983'an de li devera Barzan û kampên em lê diman destpê kir. Ber destê sibê bû. Bi qasî tê bîra min saet li dor sisê û çaran bû. Dora kampên em lê bûn girtibûn. Wê demê hin zilaman di daîreyên dewletê de kar jî dikirin. Kesên derketin ku herin kar hemî bi şûnde vegeriyan û gotin:

- Dora me tev hatiye girtin û ev ne elametê xêrê ye.

Bi ronahiya serê sibê re leşkerên Seddamê devli xwîn bi haporloran gazî kirin û gotin:

- Bila herkes ji malên xwe derkevin û li vê meydanê kom bibin, zilam li aliyê rastê, jin û zarok li aliyê çepê.

Qîrewîrekê despêkir, bû gazî û hawara me jin û zarokan. Me û zilaman, me hemiyan fêm kir ku ev ne ji xêrê re ye.

Piştî em herkes ji malên xwe derketin li cihê wan destnîşan kirin kom bûn, zilam li aliyê rastê em jin jî li aliyê çepê kom bûn. Em hemî bi kelecan û ne rehet bûn. Me û hemî zilaman dizanîbû dê felaketek nû be, lê wê çi be hê me nizanîbû. Piştî hatina herkesî wan dîsa bi haporlorên xwe û bi zimanê erebî gotin:

- Binêrin em dîsa gazî we hemiyan dikin. Em ê dûv re mal bi mal bigerin em kê bibînin xwe veşartiye an nayê em ê wî bikujin.

Hinekî rawestiyan dûr ve leşker ketin malan da ku bibînin bê kes maye yan na.

Belê kurê min êdî leşker bi xwe ketin malan kî didîtin anîn. Mêr li meydanê komî ser hev dikirin. Em hemî tirsiyabûn me kesekî newêrîbû ji kesê din re tiştekî bêje. Em li bendê bûn bê ka wê çawa bibe. Em her kes bi şik û tirs bûn. Wê çi bibe hê me kesekî pê nizanîbû. Lê li gor rewşa leşkeran, lez û bezê dihat zanîn ev ê ne ji xêrê re be.

Lê wan her zilam li meydanê komî ser hev dikirin. Yên nikarîbûn an nedixwestin werin, di nava destên leşkeran de bi darê zorê ber bi meydanê dianîn.

Êdî dinya ronî bûbû û kesên dihatin wê meydanê hemiyan hevdu dinasîn. Herkes bi tirs û xof bû. Ji ber ku ev cara ewil bû tiştekî wiha dibû. Lê hinan digotin tişt nabe ev jî dikare kombûnek be, dikare îştîmayek be. Hin jî bi tirs bûn û dizanibûn ev car ne weke carên din e.

Herkes ji mala xwe derdiket û ber bi wê meydanê ve dihat.Piştre jî leşker ketin malan. Kesên nexweş, şêt jî wan dianîn. Mesela, şêtekî me jî hebû. Ji bo ew zerarê nede jin, zarok û kesan ew tim bi zincîran girêdayî bû. Ew di nava destên sê leşkran de anîn meydanê, ew jî xistin nava zilaman. Piştî anîna hemî zilaman, çi yên şêt û çi jî yên nexweş, vê carê leşkeran xwestin em jin û zarok bela bibin û herin malên xwe.

Em weke jin û zarok jî li hember zilaman rawestiyabûn. Em jî bi tirs û xof bûn. Piştî komkirina zilaman, leşkeran xwestin em belav bibin û herin malên xwe. Lê em nediçûn ji ber ku me texmin dikir ku afateke mezin wê bê serê zilamên me.

Leşkeran dîtin ku em belav nabin, vê carê gotinên nexweş ji me re kirin da ku em belav bibin lê em dîsa belav nebûn. Bi wan cir û gotinên nexweş yên leşkeran, me fêm kir êdî rewş gelek xerab e. Lê hê jî me baş fêmnekiribû wê çi bê serê wan. Me nema dizanîbû ku wê leşker çi bi wan bikin.

Hê em di nav wan xeman de bûn, hew me dît vê carê zilamekî nexweş li ser doşekê dirêjkirî ye, di nava destê leşkeran de ye, ew jî anîn meydanê. Ew xistin nav zilaman. Kesê nexweş, nalîna wî, aya aya wî bû. Ew camêr hê nuh ji emeliyatê derketibû û hê dirûna emeliyata wî ne cebirî bû.

Îşlikê li wî di nava xwînê de mabû. Vê qet bala leşkeran nedikişand. Qet li wî û li hêla wî jî nedinêrîn. Weke tu cihalekî bavêjî, wan jî bi milê camêrê birîndar girtin û avêtin nava zilaman.

Kurê min tu bawer bike ew roj ne tê gotin û ne jî êdî tê dîtin. Felaket û afateke wiha anîn serê me bê hey hawar. Serbazek bi çend gavan ji nava leşkerên xwe derket û got:

- Belê belê me ji destê Barzaniyan gelek kişandiye, de ka îcar em binêrin bê wê Barzanî bikaribin çi bikin.

Ev gotina wî serbazî gelek li zora min çû. Hem ji ber wê bûyera ku hemî zilam kom kiribûn û hem jî ji ber xeber, cir û gotinên wan ên nexweş ez gelek hêrs ketim min hew xwe girt û got.

- Hey Xwedê ji we re nihiştno, hey bê wijjdan û merhametno! Hûn zilaman kom dikin bikin, ma we xêre ku hûn van ên nexweş û şêt jî top dikin. Ma hûnê çi bikin ji wan! Ma hûnê wan berdin ser jinên xwe.....
Hema serbazekî gotina min qut kir û got:

- Em ê wan bibin Baxdayê helawê bidin wan.

Piştî gerandina nava kampê û sehkirina yek bi yek ya malan wan êdî bawerî anîn ku kesek nemaye.

Lewma vê carê jî serbaz gazî kir û got:

- Her kesê ne Barzanî be di nava we de hebe bila derkeve were ba min?

Li ser vê gotinê du kesên halên wan nexweş û gelek bi tirs ji nava wê qelabalixê derketin, li hember serbaz rawestiyan û ji wan yekî got:

- Belê heyran em herdu jî etar in. Me duh êvarî xwe gihand vir. Ji ber ku êvar bi ser me de hat, em jî li vir razan. Gotina xwe got û destê xwe avêt berîka xwe nasnameya xwe derxist, dirêjî serbaz kir û domand: Fermo ev jî nasnameya min e. Li hevalê xwe nêrî û ji wî re jî got; ka tu jî ya xwe derxe.

Hevalê wî yê qudûmşkestî tu hal tê de nemabû dengê xwe bike. Hema wî jî nasnameya xwe derxist û dirêjî serbaz kir.

Dema serbaz li nasnameyên wan nêrî got;

- Rast e, hûn her du jî ereb in. Ne Barzanî ne. Gazî leşkerekî kir û got, were van herduyan bibin ew ne Barzanî ne. Dîsa gazî kir û got.

- Kesî din ku ne Barzanî ye heye yan na? Piştî gotina vî serbazî, hema xortekî bi navê Teyib û temenê wî li dor Şanzde salan bû; min ew dinasî û gelek caran jî dîtibû û min zanîbû ew bi çi karî ve wezîfedar e. Li ser rewş û gazîkirina serbaz; hema yekser hişê wî jî hate serî ku ew ne ji devera Barzan e. Lê ew bi xwe jî Barzanî bû û karê wî danûstendina di navbêra pêşmêrgan û gundiyan de bû. Hema weke hin jê re bêjin; “Lawo rabe tu jî bêje, ez ne Barzanî me” ji nû de li xwe hay bû û ew ji nava wê qelebalixê derket, ber bi serbaz de çû û got:

- Ezbenî ez bi xwe jî ne Barzanî me û ne ji vê deverê me. Bi sedema karekî ez li vir bûm. Heger hûn bawer nakin fermo li nasnameya min jî binêrin.

Serbaz li nasnameya wî nêrî û xwend: Teyib Ebdula. Cihê ji dayîbûna wî Biradost. Lewma êdî bawer kir ew jî ne Barzaniye, pêhnek lê da û got:

- Here ba wan kesên ew jî ne Barzanî ne, rûnê. Dûv re serbaz gazî leşkerekî kir û got:

- Van hersiyan berdin bila ew herin. Ew ne Barzanîne.

Piştî berdanê, Teyib bi rev û bi bazdan xwe digihîne nava pêşmêrgeyên Qeyraman û rewşê ji wan re dibêje. Niha ew Teyibê Şanzde saliyê wê demê, sax e. Li Mêrgesorê dimîne. Bi rutbeyeke bilind weke pêşmergeyekî gelê xwe hê jî kar dike. Piştî azadiya welêt çend caran ew hat zîyarete min jî.

Belê kurê min! Piştî karê xwe temam kirin leşkeran lezandin ew zilamên ku Barzanî bûm hemû xistin wan seyarên leşkerî. Dema wan destpêkir û zilam xistin seyaran min nêrî wiha bêdengî nabe, lewma min gazî kir û got:

- Gelî jinên Barzaniyan de êdî rabin, xwe tev bidin, zilam diçin em li şûna wan dimînin, bên neyên êdî ne diyar e. Rabin em êrîş bikin û zilamên xwe ji destê wan xilas bikin. Yan bila me jî bi wan re bibin yan jî divê wan berdin. Min got û jin jî rabûn, lê kurê min wan leşkerên bê wijdan li me reşandin, ez û çendên din em hatin birîndar kirin.

Her çiqas birînên me ne zêde xeter jî bûn, lê dema em ketin jinên din jî xwe vekişandin, ango tirsiyan, ku leşker dikarin wan tevan bikujin.

Belê kurê min bi vî awayî û di wê demê de li devera Barzan li gund û bajarên din jî tam 8000 zilamên Barzaniyan ji aliyê leşkerên Seddam ve hatin Enfalkirin. Ji wan 8000 kesan, kesek li mal venegeriyan û hemî jî li cihên ne diyar bi saxî hatin binerdkirin. Her wiha bi vî rengî li Kurdistanê Enfalê berdewam kir.

Weke tê zanîn, Saddamê devbixwîn berdewamiya Enfalê xwest li Helebçeyê biqedîne lewma ew der bi gazên jahrê di roja 16'ê Adara 1988'an de bombebaran kirin. Bi vê yekê xwest gelê kurd qir bike. Lê ew bi xwe di xwîna şehîdan û Enfalê de hate fetisandin.

Binere kurê pîra xwe, gotina Enfalê rehet e. Lê gelo piştî wê karesatê, jiyan li devera Barzan û li kampên ku Barzanî tê de bûn, çawa bû? Ez vê jî ji kurê xwe re bêjim û divê em vê êdî biqedînin. Ez dizanim tu ji min ketiye şikê ku ez herim û êdî neyêm. Lê bawer bike heta merama te neynim cih, ez ê bi derekê de neçim. Bi ken û henek got û destpê kir:

- Piştî birina zilamên me, kurên me yên ji 12 salî û pê de jî birin, heta demeke kurt me nema dizanîbû ka em ê çi bikin. Em hemî qudûmşkestî bûbûn. Lê ji ber ku di nava wan de ya xwenda û di hin meselan de şareza ez bi xwe bûn, min nêrî bi vî awayî nabe, lewma min rojekê hemî jin li meydana kampê civandin û min destpê kir û got:

- Afratno! Jinên Barzaniyan! Ez bawer im êdî wê zilam û kurên me li me venegerin. Ji ber vê tofana wê rojê anîn serê me, diyar e ew dê bi rehetî li me venegerin. Bi girî û hawarê nabe. Divê em yên li dû wan mane xilas bikin. Wan mezin bikin da ku ew bikaribin tola bav û kekên xwe hilînin. Em vê rojê bikin roja şînê û divê êdî hûn jî vê wiha bizanibin. Lewma jî divê êdî em ji îro pêde hemî jinên Barzaniyan reş girêbidin. Heta ku mêrên me, kurên me, zilamên Barzaniyan werin an jî tola wan bê hilanîn, divê em reş girêdayî bin. Ev adeteke kurdan e ku dema tofanek tê serê wan, wiha dikin.

Rabin bes e êdî. Îro ne roja giriyê ye. Karên mêran jî êdî ketiye stûyê me. Divê em jî weke mêrên xwe weke jinên Barzaniyan bibin têkoşerên azadiya gelê xwe. Îro divê tiştê em bikin ne girî be, mezinkirin û xwedîkirina van biçûkan be. Em wan mezin bikin, bişînin nava pêşmêrgeyan. Divê ew jî şerê azadiya gelê xwe bikin, Kurdistana xwe azad bikin aha wê demê wê tola zilamên Barzaniyan bê hilanîn.

Xwarin êdî di malên me de neman an hêdî hêdî diqede. Heger em kar nekin em ê êdî bi destê xwe van zarokên li dû bavên xwe mane bikujin. Em Barzanî ne û Barzanî tu caran ji qudûm nakevin. Me gelek bûyer û kiryarên wiha qirêj dîtine, lê em weke jin û zilamên Barzaniyan tim jî bi serketin e. Em ê vê carê jî bi serkevin.

Em herin karê bîstanan bikin. Em ê herin emeletiyê bikin. Em herin di karê rezan de bixebitin. Em karê paletiyê bikin. Em çi bikin divê em peran bînin mal û bi wan pereyan zarokên xwe pê mezin bikin.

Zilamên me, kurên me pismam û mirovên me hemî çûn, bên neyên êdî em pê nizanin. Lê divê em li benda wan bin heta hatin.

Lê li ser me ferz e, em ji bo jiyana zarokan peran qezenc bikin da ku bikaribin hem wan xwedî û mezin bikin û hem îdara mala xwe jî pê bikin. Divê em nehêlin zarok birçî bimînin. Divê em nehêlin zarokên Barzaniyan destên xwe li ber ereban vekin. Divê em nehêlin husitiyên xwe li ber leşkerên Sedam xwar bikin. De rabin! Qedera jinên Barzaniyan wiha ye. Em êdî hem bav in, hem jî dayîk in.

Ez baş dizanim li vê cîhanê wê tenê jinên Barzaniyan bibin dayîk û bav. Ez dizanim ev ne karekî rehet e. Lê divê em weke jinên Barzaniyan, li gor destûr û bername û rêbaza Barzanî zû dest bavêjin karê xwe. Bila serê we bilind be û li hember dijmin bila kêfa we li cih be. Zilamên me ji bo welatê xwe bûne cangorî. Divê em jî wan fedîkar dernexin.

Ez dizanim êşa me giran derdê me mezin e. Lê nabe ku em zarokan birçî bihêlin. Nabe em wiha bêdeng û bêkar bimînin. Çi dibe bila bibe, divê em kar bikin. Heta niha zilamên me kar dikirin, wan li me dinêrîn. Lê dîvê êdî em jî xwe fêrî kar bikin. Em ê weke zilaman di avakirina xaniyan de kar bikin. Em ê weke zilaman karê emeletiyê bikin. Yanî divê êdî hûn bizanibim, em hem mêr û hem jî jin in. Lewre çi kar dibe bila bibe, kar ne şerm e. Lê birçîbûn û bê peretî, li mal rûniştin û tenê girî şerm e.

Rabin ser xwe û reş girê bidin û zilamên xwe ,kurên xwe yên hatine girtin şermezar nekin.

Belê kurê min, min gotina xwe got û xuya bû vê bandor li hemî jinan kiribû. Di nava hev de kirin pisepis. Hinan digotin ev çi dibêje, hinan digitin weke wê ye. Di nava axaftinên wan de min dîsa gazî kir û got:

- Gelî jinan, keçan û destgiriyên Barzaniyan aha va

ya min reşa xwe girêda, divê hûn hemî jî êdî reşên xwe girê bidin. Heta zilamên me, kurên me li me venegirin yan jî tola wan nehê hilanîn em ê her reş girêdayî bin.

Ji ber du sedeman min xwest, em hemî reş girêbidin. Yek edetê kurdan e dema bûyereke qirêj, ango karesatek bi ser wan de tê, reş girê didin. Min ev edet baş dizanîbû lewma min ev kir. Ya duduyan jî bûkên ciwan, keçên me jî gelek bûn. Ji bo leşker destirêjayiya wan nekin, divê wan jî reş girêbidana, di nava wî reşî de zêde bal nedihat kişandin.

Lê kurê min tu were ji pîra xwe bipirse ku ew reş hê jî ji ser me neçûye. Ew reş girêdan êdî bû edet, bi zimanê cîhanî êdî bû mode. Her çiqas tola zilamên me hate hilanîn û Kurdistan azad jî bû lê reş girêdana me ranebû û wê ranebe jî.

De baş e kurê min, Mihemdê min, Samîyê min pîra te weke hercar westiya. Min tu jî bi xwe re westand î. Êdî here sibê em ê tiştê mane jî bêjin ku karê xwe bidomînin, heta ku qediya.

- Ser çavan pîra min a hêja û delal.

Samî hêdî hêdî rabû, ber bi cihê karê xwe de çû. Lê di rê de ew gelek tiştan fikirî, ew gelek tiştên nû ji pîra xwe fêr bû. Yanî ji Tolgaya rûs, ji Gulxanima kurd û Kurdistanî fêrî gelek tiştan bû û wê hê jî bibûya.

23

Samî weke her car dîsa di dema xwe de hatibû mala pîrê, piştî av û çay vexwarinê, wî û pîra xwe, xwe dane hemberî hev da ku Samî bipirse û pîrê bibersivîne.

- Belê pîra dela em di mesela reşgirêdanê de mabûn. Sedemê reşgirêdana jinên Barzaniyan te got. Pîra min de ka ji me re hinekî mesela Enfalê veke. Enfal çi ye? Sedema pêkanîna wê ji bo çi bû? Piştî Enfalê jiyan li devera Barzan çawa bû? Wan jinên li dû mêrên xwe man gelo çawa jiyan? Wan dayîkên hem bûbûn bav û hem jî bûbûn dayîk ev erka xwe çawa pêk anîbûn?

Ka hinekî xwe bera nava kûrahiya Enfalê bide. Vê bêje da ku em binerin, bibînin ji pîra xwe guhdarî bikin, bê jinên Barzaniyan bi çi awayî û çawa zarokên xwe gihandin vê rojê. Di navbera karê malê û karê li derve de jinan çi zehmetî didîtin. Jiyana wan çawa bû, ew çawa heta niha jiyan û dijîn.

Ev bû bîst û pênc sal di ser vê karesatê re derbas dibe, gelo çima jinên Barzaniyan nezewicîn, keçên destgirtî di mal de man. Ka hinekî jî em ji vir de destpê bikin. Em destpê bikin da ku wê dîroka qirêj ya bi gelek aliyên xwe de di tariyê de maye, bi saya te, bi saya şahidê wan karesatan jiyanê ronî bikin.

De fermo pîra min, gotin ya te ye.

Pîrê jî cihê xwe nihekî xweş kir, tizbiya xwe ya nod û neh lib ji bêrika xwe derdixist, berê çend lib di nava tilêyên xwe de bir û anîn û got:

- Belê kurê min tu ya rastî bêjî, xalek ji xalên herî

girîng jî mesela Enfalê ye. Çi ye Enfal, ji bo çi bi navê Enfalê ev wêranî û qirkirina Barzaniyan û kurdan kir? Ez ê vê jî ji kurê xwe re bêjim; yên vê berhema te bixwînin bila sedema navê Enfalê ku Seddam ev qirkirina gelê kurd pê kirî ye bête zanîn. Di eslê xwe de ev jenosîd e...

Enfal çi ye:

Enfal ev e: Di Quranê de ayeta Enfalê wiha ye: Ew kesên ku îman anîne û dema cengê dibin ser kafiran, divê şer bikin. Ew kesên bi we re bin û şer nekin wan bikujin. Wan qir bikin. Ne ku hûn wan dikujin. Ew xwedayê mezin wan dide kuştin.

Lê kurê min tu ya rastî bixwazî heta niha rewşa kesên wan hatine Enfalkirin bi zelalî nehatiye fêmkirin. Yanî nehatiye zanîn ku Enfal çi ye? Mebesta jenosîdkirina zilamên Barzaniyan ji bo çi bû? Heger em li ser vê baş rawestin, wê bê zanîn ku sedema jenosîda 8000 zilamên Barzaniyan baş nehatiye fêm kirin. Lewre jî pêşniyar dikim kurê min hemî nivîskarên kurd berê xwe bidin vê. Herkes wisa dizane ku tenê 8000 Barzanî hatine Enfalkirin. Li gor min gelek 8000 hezar in. Lewma jî divê em vê weke jenosîdekê bidin diyarkirin. Divê xebata rewşenbîrên kurd li gel hukumeta wan li ser vê be.

- Çawa yanî pîrê?

Eger em bi bîrewerî û di warekî zanistî de li meselê binêrin, wê bê ditîn ku li devera Barzan ji sala 1984'an heta sala 1992'an zarok çênebûne kurê pîra xwe. Ka bala xwe bidê Enfal sala 1983'an de ye. Dibe ku piştî Enfalan hin jin bi hemle bûn û wan piştî Enfalkirina mêrên xwe zarok anîn e. Lê ev tenê heta sala 1984'an meha yek an jî didan dewam kirî ye. Jê û pêve zarok li devera Barzan çênebûne. Ji ber ku hemî jin bêmêr mane û di navbera wan salan de jî kes nezewiciye.

Heger em vê weke matamatîkê bihesîbînin, gelo di wan heşt salan de jinên bi mêr û mêrê wan hebûna, wê her yekê ji wan çend zarok anîbana? Gelo di nava van salan de wê çend keç û kur zewicîbûna û zarok çêkiribûna? Lewma dibêjim dema em li netîcî binêrin hejmarek mezin Barzaniyan windakirine diyar dibe. Divê hûn kesên destê we qelem digire vê wiha bidin zanîn.

Belê kurê min, got, bi wê gotinê giriya, wisa giriya, qet ne hûn bêjin û ne jî ez dikarim binivîsînim. Wisa xuya bû vê jî bandoreke mezin li pîrê kiribû. Piştî têra xwe giriya, hinekî rawestiya, hêsirên çavên xwe bi destan paqij kirin. Gazî bûka xwe Safiya kir û got:

- Safiya keça min ka hela hinek av ji min û mamoste re bîne wele qirika min ji ber wan hêsiran û axaftinê zûha bû. Li Samî nêrî û axaftina xwe domand. Kurê min, em ava xwe vexwin. Çend deqan bide pîra xwe heta hinekî hilma min bê ber min. Tu bawer bike kurê min ne tenê jiyana wê karesatê, gotina wê bi xwe jî zehmet e. Lê ez ê ji kurê xwe re hemîiyê bêjin heta ku bikaribin.

Ava xwe vexwarin pîrê hinekî rawestiya, rabû ser xwe derket hewşê çend caran li bûka xwe nêrî û meşiya. Çû û hat. Bi wê meşa xwe re serê xwe dihejand. Di ber xwe de tiştnî digot. Samî ji ber vê rewşa pîrê hinekî tirsiya. Lê zêde ne ajot. Pîrê hat li cihê xwe rûneşt û got:

- Kurê min, Samiyê min! Ma gelo jina bê mêr maye, jiyana xwe çawa domandî ye? Wê çawa zarokên xwe mezin kirin e? Ji ber bê mêrtiya wê û ketina barê malê û xwedîkirina zarokan dikeve hustiyê wê, ketiye çi rewşê? Gelo jineke wiha nefsî çawa jiya ye? Gelo dema zarokên wê doza bavê xwe lê dikirin ew diket çi rewşê? Ma ev jin her roj nedimir? Gelo vê jinê ji bo zarokên xwe xwarin û mesrefên malê peyde bike, çawa kar kiriye? Çi kar dîtiye û di bin çi zehmetiyan de xebitî ye. Dema ew li kar bû zarokên wê li ku bûn û çawa dijiyan?

Ma tu dizanî ka çi qas zor e, dema zarokek her roj di hembêza bavê xwe de radiza û leşkeran bavê wî/ê li ber çavên wî/ê dibir û ew bav êdî nehat, gelo ew ketin çi rewşê? Ew zarokên bi hesreta rojekê bavê xwe bibînin dijiyan û nedîtin mirov dikare vê çawa şîrove bike. Mirov dikare bêje, ma ew zarok nefsî ne nexweş in?

Gelo keçên bi destgirtî bûn û ji zewaca wan re çend roj mabûn, lê ew bi sedema Enfalkirina destgirtiyê xwe, negihîştin mirazên xwe. Niha rewşa wan çawa ye? Gelo keça hê jî li benda destgirtiyê xwe ye, çawa dijî?

Gelo ew jina hem mêr û hem jî kurên wê hatine Enfalkirin di çi rewşê de ye û hê jî çawa dijî? Ew jina li aliyekê mêr û li aliyê din jî zarokên wê hatine Enfalkirin, çawa dijî? Ma jineke wiha her çi qas li dinyayê jî be, gelo bi rastî dijî?

Lê Samiyê min, gelekan ji me ev dîtin ku jinên Barzaniyan qet li ber dijmin serê xwe netawandine. Li hemberî dijmin, xwe jar û hustuxwar nekirine. Gelo mirov dikare vê çawa bîne ser zimên? Ma li ku hatiye dîtin, li deverekê bi hezaran jin bêmêr bin û bi sedan keçan jî mêr nekiribin, ma li dereke dinayayê tiştekî wiha heye?

Zarokekî/ê piştî bavê xwe çêbûye û qet bav nedîtiye û nizane, bêjeya bavtiyê ji bo wî/ê tê çi wateyê, gelo ew dijî? Heger bijî jî rewşa wî/ê çawa ye? Kesên wiha niha zewicî ne, ma gelo wê bikaribin germiya bavtiyê bidin zarokên xwe. Ji ber ku wan ew germî nedîtine, ne jiyane lewma di vî warî de bê tecrûbe ne.

Gelo li ku derê cihanê hatiye dîtin zarokên deverekê bê bapîr dijîn? Belê ew dever tenê devera Barzan e. Nifşek ji zarokên wir ji bapîrên xwe mahrûm in. Ew nedîtine û nizanin bêjin kalo. Wan ji kesekî re negotine kalo. Lewma jî ev di civatekê de tune be, wê ew civak bi kêmaniyeke nevsî bijî.

Ma li ku derê cihanê hatiye dîtin; jin hem dayîk û hem jî bav bin? Gelo li ku hatiye dîtin li deverekê bi hezaran jin bê mêr bin û bi sedan keçên nezewicî hebin? Çima ne zewicî ne? Ji ber ku zilamên di temenê wan de, yên ji wan mezintir û biçûktir hemî hatine Enfalkirin. Yanî zilam nemane ku ew bi wan re bizewicin. Heger li deverekê mêr nemînin ma wê jin bi kê re bizewicin? Belê ew dever, dîsa jî devera Barzan e, dema hemî zilam têne Enfalkirin, ev bobelat tê serê jinê. Piştî Enfalkirina mêran êdî li wir jin bi roj bav in û bi şev jî dibin dayîk.

Ma qet li deverekê hatiye dîtin, jin bi xeyala mêrê xwe û keçên destgirti jî di xewnên xwe de dizewicin. Ew dever jî devera Barzan û kurd in. Ma li ku hatiye dîtin, jinek bîst û çar salan li benda mêre xwe be? Lê bi hezeran jinên Barzaniyan li benda mêrê xwe û keçên destgirtî jî li benda destgirtiyê xwe ne. Belê ev dever li cîhanê tenê devera Barzan e.

Lewre kurê min ez dibêjim; ew dayîk, jin û zarokên li dû Enfalê man e, hemî jî bi saxî mirine. Lewma jî divê mirov li ser hizir û dîtinên kesekî/ê yên bavê xwe nedîtibe ango piştî Enfalkirina bavê xwe hatibe dinyê, rawest e. Gelo ji bo wan bav tê çi wateyê? Jineke ciwan ku bê mêr jiyaye, gelo heta niha tûşî çi zehmetiyan bûye? Dayîkan zarokên xwe heta azadiyê çawa gihandine? Gelo devereke heşt salan zarok lê çênebibin mirov dikare vê çawa di qada navneteweyî di, warê huqûqî û mirovantiyê de bi nav bike?

Gelo dema zarokekî/ê doza bavê xwe li dayîka xwe dikir, ew dayîk wê demê diket çi rewşê? Dema wî/ê zarokek li ba bavê wî/ê didît, ew wê demê diket çi rewşê û çawa dijiya? Gelo niha rewşa keçeke ku bi destgirtîbû û destgirtiyê wê Enfal bûye û hîn jî li benda destgirtiyê xwe ye, rewşa wê ya niha çi ye? Bûkek heft rojî bû û mêr hate Enfalkirin ku hê li benda zilamê xwe ye, gelo bi rastî ew niha dijî? Ji ber vê ye kurê min ez dibêjim; ez bi xwe ne bawerim ku mesela Enfalê weke tê xwestin hatiye zanîn. Ez ne di wê baweriyê de me weke pêwîst bûye, li ser Enfalê hatiye rawestandin. Tenê hatiye gotin; bi awayekî gelemberî li başûrê Kurdistanê 182 hezar qurbanên Enfalê me hene. Li devera Barzan û bi taybet ji wan 8000 hezar jî Barzanî ne.

Li gor min divê em weke kurd daw û doza Enfalê bixin qada navneteweyî da ku em bikaribin di nava qanûna neteweyî de vê jenosîda li gelê me û li başûrê Kurdistanê bi ser kurdan de hatiye, bi awayekî destûrî û qanûnî li dinyayê bidin qebûlkirin ku ev jenosîd ji bo tunekirina gelê kurd û Barzaniyan bûye. Lê li başûrê Kurdistanê û bi taybet Barzanî ji bo hemî dagirkeran xetera herî mezin hatiye dîtin. Lewma Seddam xwestiye zilamên Barzaniyan yên ne pêşmerge ango kesên sivîl bûn jî û di gundên xwe de bûne û heta gelek ji wan di daîreyên hukumetê de jî karker bûn, yên nexweş bûn, yên şêt bûn, hemî birine û bi saxî binax kirine. Ma gelo mirov dikare ji vê re çi bêje? Heger ev ne jenosîd e, lê çi yê, kurê min?

Ma li kî dera dinyayê wehşeteke wiha qewimiye? Ma li ku derê zarok bê bav, jin bê mêr û keç bê dergistî mane? Ma li ku hatiye dîtin zarok nizanin maneya "bav" tê çi wateyê? Li ku hatiye dîtin nifşek zarok bê bapîr mezin bûne? Ma gelo li ku hatiye dîtin dayîk hem bûye bav û hem jî bûye dayîk? Hem bûye xwîşk û hem jî bûye kek û bira? Ma kî dizane ji bo zarokên Enfaliyan destê xwe venegerin û hustiyên xwe li ber dijmin netewînin dayîkên wan çawa xwe westandine da ku zarokên xwe mezin bikin? Da ku wan bikin pêşmerge û welatê xwe azad bikin û tola bav, bira, bapîr, mam û xalên xwe hilînin. Lewre gelek girîng e ku divê rewşenbîrên kurd, nivîskarên kurd li ser vê yekê rawestin û bi cîhanê bidin zanîn ku mebesta vê jenosîdê tunekirina pêşevanên gelê kurd bû.

Enfal ji ayeteke Quranê hatiye û ew ji bo olî hatiye bi karanîn. Lewma ji bêjeya Enfalê bêtir, ew karesata hatiye serê gelê me û bi taybet ji bo tunekirina Barzaniyan ji Enfalê bêtir divê mirov wê weke jenosîdê bi bîr bîne. Ew jenosîd bû, ji bo rêveberên gel têk bibin hatibû kirin. Mebesta wê jenosîdê ew bû ku konfederasyona eşîrên ku Barzaniyan rêbertiya wê dikir, ji holê rakin.

Her serîhildan û tevgereke Barzaniyan li herçar parçên Kurdistanê dibû ronî, dibû rêbaza berxwedanê. Wan êdî ji bo azadiya gelê xwe rê û rêbazek danî bûn. Êdî ew hemî li gor destûr û bernameya xwe ya netewî tevdigeriyan. Çi bû ew rêbaz? Ji bo çi hatibû danîn? Ya ku divê mirov li ser rawest e ev e. Ew rêbaz, rêbazeke wiha bû, xwe li gor xalên azadiya gelê xwe ya neteweyî hûnandibû. Ev rêbaz, rêbazeke wiha bû, ji bo wê berî her tiştî welatê wê yê bindest yanî Kurdistan bû. Ev rêbaz, rêbazeke wiha bû ku di nava wê de derew, xapandin, fêlbazî û neduristî tune bû. Lewma ev rêbaz ji bo welatê xwe bigihîne azadiyê, êdî xwe li gor destûr û bernameyeke neteweyî hûnandibû. Ew destûr û bernameya ji bo azadiya welêt weke rêbaza Barzaniyê nemir hatibû destnîşankirin. Lewma piştî ku kurd bûne xwedî rêbazeke neteweyî, wê demê êdî dijminên gelê kurd ketin nava tirs û xofekê. Wan êdî fêm kirin, dema kurd jî weke her neteweya cihanê li gor rêbaz û destûrekê tevbigerin wê bibin xwediyê welatê xwe.

Lewma karbidestên herçar perçên Kurdistanê, bi salan li ser vê rêbaza ji bo gelê xwe azadî dixwest, radiwestiyan ku wê têk bibin. Ji bo têkbirina vê rêbazê her gav karbidestên her çar perçên dijminin me bi hev re, di lêgerînê de bûn ku vê rêbazê ji holê rakin. Dawiya dawî gihîştin wê baweriyê, divê Barzanî ji holê bên rakirin da ev rêbaz jî nemîne. Wan li ser biryareke miştarek, ji bo ku bi destê Seddamê xwînmij bêne Enfalkirin 8000 Barzanî girtin. Lê ev biryarên wiha yên ji bo jenosîdkirina gelê me tim bi awayekî dizî dihatin girtin.

Girtina biryareke wiha di jiyana gelê kurd de cihekî taybet digire. Ji ber ku dijminan dixwestin kurdan bê rêbaz ango bê destûr û bername bêhêlin. Lewma divê Barzanî hemî ji hole bihatana rakirin. Ji bilî vê dijminan tu çareseriyek din nedidîtin. Ew di wê baweriyê de bûn bi tunekirina zilamên Barzaniyan hem dê gelê kurd bê teqet bimaya, hem jî dê gelê kurd ji rêbazeke netewî bêpar bihiştina da ku dijminan karîbûna dagirkeriya xwe berdewam bikin.

Lewma ez dibêjim û dizanim ev biryara tunekirina zilamên Barzaniyan ne tenê biryara Seddam bû. Ez wiha tê digihîjim ku ev li gor biryara herçar parçên dagirkerên Kurdistanê û hin ji eşîrên kurdên ku xulamtiya dijmin dikirin, bû. Ji ber ku li kîjan parçeyî serîhildan an jî berxwedana gelê kurd dibû, dagirkeran tim li gel hev û li ser asasê tunekirina wê berxwedanê yek biryar digirtin. Lewma dibêjim ku jenosîda Barzaniyan jî yek ji biryarên wan a bi dizî bû.

Piştî vê gotina dawî xuya bû qirika pîra me zuha bûbû. Bangî bûka xwe kir da ku ji wê re qedeheke av bîne, ava jê re hat bi çend qurtan qedend, çend keser vedan, hinekî li dora xwe nêrî. Serê xwe bera ber xwe da ku bikeve nava hin xeyalan. Lê Samî got:

- Pîrê niha li gor van gotin û şîroveyên te em fêm dikin dagirkeran her xwestine Barzaniyan ji holê rakin û ev destpêk bi Enfalkirina, ango bi jenosîdkirina 8000 Barzaniyan destpêkirin. Gelo tê bikaribî derheqê vê de jî hin tiştan bibêjî?:

- Belê kurê min madem ketim nava mijarê vê jî bêjim. Ez dizanim ev jî bi her aliyê xwe ve nayê zanîn.

Ji ber ku Barzaniyan cara ewil li cîhanê û bi taybetî li Kurdistanê konfederasyonek ji eşîran pêk anî bûn da ku bi hev re li dijî zilma dagirkeran derkevin û welatê xwe bigihînin azadiya wî. Ji ber ku di hemî serîhildanên başûrê welatê me de her Barzaniyan pêşkêşî kirine. Heta mirov bi awayekî zanyarî li serîhildanên parçeyên din jî binêre dîsa ew ango Barzanî hebûne, ew hatine dîtin. Ji ber vê yekê bû, ne tenê dagirkerên Iraqê, dagirkerên her çar parçan bi hev re xwestine wan ji holê rakin da ku tevgerên Kurdistanê jî têk herin. Li gor min ji ber van sedaman bû ku dagirkerên herçar parçên Kurdistanê û hin eşîrên kurdan bi hev re di kombûnên dizî de biryara tunekirina Barzaniyan dane û Seddam jî ev xistiye jiyanê. Lê bi ser neketin.

Lewma ez dibijîm; divê mirov baş, rind û bi awayekî zanyarî mesela Enfalê ango vê jenosîda li hember kurdan û Barzaniyan bûye bide zanîn. Divê ev baş bê şîrovekirin da ku hemî cîhan bizanibe, ev ji bo çi bûye? Ji ber ku hê jî hin kes, dewlet û dezgeh hene, bawer nakin bi rastî jî Seddam jenosîdeke wiha li hember Barzaniyan û gelê kurd bi kar anîye. Hîn jî gelek ji wan bawer dikin ev tenê ji bo propaganda şer hatiye kirin. Lê rastî ne wiha ye. Pêwîst e em kurd bi taybetî nivîskar û rewşenbîrên kurdan divê vê rastiyê bi xwe, bi nivîs, helbest, şano, roman û çîrokên xwe ve ji nû de çalak bikin. Çalak bikin da ku kurd bikaribin doza xwe di qada navnetewî de biparêzin.

Divê hemî kurd li gel siyasetmedar, rewşenbîrên xwe bi awayekî berfireh di her warî de vê ji nû de têxin rojeva cîhanê da ku doza gelê xwe li Iraqê bikin. Em divê vê kirina Iraqê têxin dadgeh û di dezgeha navneteweyî û wê di wir de bidin qebûlkirin ku Iraqê jenosîdeke bê eman li hember gelê kurd û bi taybetî li hember Barzaniyan bi kar aniye.

Çawa Osmaniyan di sala 1915'an de ermenî qir kirin û niha ermenî hê jî li dûv doza xwe ne da vê di qada navnetewî de bidin qebûlkirin. Her çiqas Osmaniyan ew kiribe jî lê binemala wan tirk in û vê dozê li tirkan vekirine û dixwazin wan bi vê tawanê bidin cezakirin. Lewma divê kurd jî wiha bikin, bi vê tawana enfalê ango jenosîda ji aliyê Seddam li hember gelê kurd hatiye kirin bidin qebûlkirin ev jenosîda dewleta Iraqê kiriye bê ceza nemîne.

Samiyê min, kurê pîra xwe, divê baş bê zanîn, êdî cihê şerê çekdarî qelemê girtiye, lewma divê êdî hûn rewşenbîrên kurd jî piştî azadiya başûrê welatê xwe vê bikin. Divê hûn mesela vê jenosîda hatiye serê gelê me di jiyana gelan de çalak bikin. Ew jî bi nivîsandinê dibe. Nivîsandin jî bi roman, şano, helbest, fîlm û çîrokan dibe. Lewma li ser nivîskarên me ferz e êdî pênûsên xwe ji bo vê jenosîdê tûj bikin.

Te destpêkir û divê ev her berdewam bibe. Divê êdî ciwanên Barzaniyan, nifşê nû yê Barzaniyan jî divê êdî qelemên xwe xurt bikin da ku karesatên hatine serê wan û gelê wan binivîsînin. Esas şer û karê avadanê piştî azadiyê destpê dike û li gor pîra te karê herî zor jî ev e.

Çawa Barzaniyan heta niha her pêşkêşiya gelê xwe kirine û dikin, divê êdî ciwanên Barzaniyan jî bi qelemên xwe, bi pênûsên xwe pêşkêşiya gelê xwe bikin. Wê rêbaza ji bo wan û gelê wan hatiye pêkanîn divê bi pêşve bixin.

Divê êdî hûn rewşenbîr û nivîskarên gelê xwe, derd û keserên wan jinên bê mêr mane, wan zarokên bê bav dijîn û jiyane, wan keçên ku negihiştine miraza xwe, binivîsîne. Wan guhdarî bike, tiştên ku ew ê ji te re, ji we re bibêjin dibe ku ji yên min girîngtir bin.

Mesela Enfalê hê baş nehatiye zanîn. Hê me weke kurd dostên xwe baş bi vê agahdar nekirine. Lewma divê hinên din jî weke te vî karî bikin. Madem tu ji bo vî karî hatiyî, divê tu bikî. Ê min bes e kurê min. Êdî mal bi mal bigere, guhdarî bike. Bipirse û binivîsîne.

Sedema êdî ez ê gotinên xwe li vir biqedînim ev e. Heger careke din, wextekî din mecal çêbû û me wext peyda kir, ez ê wê demê jî ji te re behsa berxwedana devera Barzan ya li hember dijmin bikim. Dibe ku tu vê jî weke pirtûkekê belav bikî.

Lê berê karê Enfalê biqedîne, ji kurê xwe re serketinê dixwazim û dibêjim qet û qet ji ber vî karê xwe poşman nebe. Guhdarî neke kê çi gotiye û çi dibêje. Xêrnexwaz pir in. Dilreş zêde ne, kesên hesûd gelek in. Ez ji kurê xwe bawer im tê bi ked, cahd û berxwedana vî karî de bi serkevî. Temiya min li te, şîreta min bo te her weke xwe bike...

- Ser herdu çavên min pîra min, soz be ez ê jî weke te bikim. Lê min xwest dîsa pirsekê bikim. Pîra delal ez dizanim te û Barzaniyan taybetî û gelê kurd bi aweyekî giştî ji ber xezaba Seddam gelek derd û êş kişandin, gelek êş dîtine û jiyane. Hemî kar û xebat ji bo azadiya Kurdistanê bû. Gelo we azadiya Kurdistanê çawa bihîst û dema we ew azadî bihîst û dît, çi hizir, çi kêf û şahî bi we re çêbû? Min xwest vê jî ji devê pîra xwe bibihîzim.

- Kurê min Samî û Mihemedê min, tu ya rastî bixwazî gelek zehmet e ku pîra te wan bûyer û kiryarên qirêj yek bi yek bêje. Hem niha pîr bûme hem jî di nava ew qas derd û êşan de, gelek ji bîra pîra te çûne.

Lê dîsa jî heta ku bikaribim, ez ê ji kurê xwe re bêjim. Ez dixwazim di vê xebata te de ku ji te destpêkiriye, her tişt li gor dilê te be.

Kurê min, Samiyê min, Mihemedê li ber dilê min ê şêrîn. Weke tê zanîn û hatine bihîstin ku di vê karesata Enfalê de bi deh hezaran mêr hatin binaxkirin ango bûne cangoriyên welatê xwe. Bi hezaran jin, pîr û zarok jî hatin qirkirin. Welat xerab û wêran kirin.

Gelek malbat zuriyet ji wan nema. Sal derbas bûn, lê ev zulm nesekinî, bi salan berdewam kir. Di her maleke Barzaniyan de şîn hebû. Lê rojekê tîrêjên rojê mîna tîran çavên dijminan kor kirin. Kurdistan hate azadkirin. Rejîma xwînmêj ya Saddam hate rûxandin. Êdî kurd jî bûne xwediyê erdê xwe yê azad. Azadî ji bo wan xweş bû. Azadî ji bo wan jiyan bû. Azadî ji bo wan her tişt bû. Êdî pêşmêrgeyên qehreman ji çiyan daketibûn, parastina bajar, gundan û xelkê xwe dikirin.

Rojek ji rojan ku ez û bûka xwe Safiya li mal rûniştîbûn. Dem dema ber êvarî bû, du pêşmêrgeyan li derî xistin, bi fermokirina me ketin hundir. Min texmîn kir ku dîsa pêşmêrgeyên birîndar hene û hatine ku ez herim wan derman bikin. Ez hingî bi hêrs bûm, hingî bi qehr bûm, êdî dilê min li tiştan venedibû. Lewma hema min yekser got:

- Kurên min gelo vê carê çend birîndar û cangoriyên me hene?

Min pirsî lê min dît ku ew pêşmergeyên ketin hundir, devliken û wecxweş bûn. Wê gavê min yekser fêm kir ku tiştekî baş, xebereke xweş heye. Lewma min dîsa got:

- Fermo danişin kurê min.

Wan gotin na pîrê, em dixwazin mizginiya ku tê pê gelek û gelek kêfxweş bibî, li ser lingan bidin te.

Ez hinekî şaş bûm û min texmîn kir ku wê bêjin, zilamên hatibûn Enfalkirin va ye li malên xwe vedigerin. Hê ez wiha difikirîm, pêşmêrgeyê din got:

- Pîra me ya qedirbilind! Pîra me ya emaneta Barzaniyê nemir. Pîra me ya bi keder, bê şans û siûd. Pîra me ya kedkar û xebatkara gelê xwe yê kurd. Pîra me ya tim xwe weke jineke Barzanî dîtiye û dibîne; mizginiya Serok Barzanî li te. Me Kurdistana xwe ya delal û şêrîn ji destê Seddamê xwînxwar azad kir. Xwîna şehîdan, keda Enfaliyan bi avê de neçû. Serok Mesud Barzanî silav ji te re şandin û got: 'Bila pîra me êdî rehet be, gelê me gîhişt heqê xwe. Tola şehîd û Enfaliyan hate hilanîn.'

- Hê axaftina wan tam ne qediya bû, dibû ku hin tiştên din jî bigotina, min hew xwe girt, reviyam hundir, ew ala ku min veşartibû, ji cihê wê derxist û min bi tena xwe, bi wî temenê xwe govend kir, ala rengîn kil kir, lîrand û lîrand, wê lîrandina min hemî jinên cîran ku weke min bê mêr mabûn, ew keçên negihîştibûn miraza xwe, ew zarokên bê bav mabûn, ew jî yek bi yek ber bi mala me de bazdan. Wan texmîn dikir ku pîra wan şêt û dîn bûye, aqil avêtiye. Ev çi lîrandin û ev çi govend bû ku pîrê xwe bi xwe digerand. Heta cîran bi serme de hatin, min yên malê hemî rakirin da ku di govenda azadiyê de xwe kilbikin.

Kî hat min ew jî xist govendê, kî bi dengê me hesiya ber bi mala me de reviya. Hindê qelabalix bû, hindî wan jinên bi salan bê mêr, wan keçên negihiştin miraza xwe, wan zarokên bavê xwe nedîtibûn û her roj bi hesreta wan dişewîtîn, bi ser me de hatin. Hindî hatin êdî em di hewşê de hilnehatin. Bi wê govend û reqsa azadiyê em ji hewşê derketin, bi govend û lîstik me xwe gihand heta orta herdu kampên ku em lê diman. Jin û zarokan, mêr û ciwanan hêdî hêdî ji hev re digotin:

- Pêşmêrgeyên qehreman welat azad kirine. Vê azadiyê kêfa pîre aniye. Bi mizginiyê govenda xwe gerand. De êdî hûn jî govendê bigerînin. Bilîzin. Tola mêrên me, tola zarokên me hate hilanîn.

- Erê kurê min ez wê rojê bûbûm weke keçeke çardesalî, ez wê rojê bûbûm weke jineke kêfxweş ku me bi salan kêfnebiribû. Dev ji kêfê berde ken jî bi rûyê me de neketibû. Aha ew roja em li bendê bûn, hatibû.

Em bi salan li benda wê rojê bûn, hêvî û hesreta me ew roj bû. Min mizginiya wê rojê ji devê pêşmêrgeyên qehreman bihistibû.

Êdî Kurdistana xweş û şêrîn ji bin destê dagirkeriya Iraqê ve hatibû azadkirin. Lewma êdî em ê li ser erdê xwe yê azadkirî bi awayekî serbest bijiyana. Dê piştî vê azadiyê kes nikare zilamên Barzaniyan Enfal bikin û zarokan bê bav bihêlin. Êdî wê tu kes nikare jinan bê mêr, keçan bê destgirtî bihêle. Ji ber ku êdî welatê me li gor rêbaza ku Barzaniyê nemir danî bû, hate azadkirin. Lê heger bê bîra te kurê min, dema ku zilamên me, kurên me, birayên me, xal, kal û mamên me di roja 31'ê Tîrmeha sala 1983'an de hatibûn Enfalkirin, aha me li wê meydanê ku niha em lê govendê dikin, sond xwaribû ku em ê ji îro pê de weke jinên Barzaniyan hemî reş girêbidin. Me gotibû, heta zilamên Barzanaiyan venegerin an tola wan neyê hilanîn, em ê hemi reş girê bidin.

Belê kurê min her çi qas ew li me venegeriyan jî lê em tim li benda wan bûn. Lê ew ne hatin. Her çi qas çavên me li rêya wan qerîmîn, lê dîsa li me venegeriyan. Em tim bi hêvî bûn ku ew ê rojekê li malên xwe, li zarokên xwe li jinên xwe, li dergisiyên xwe vegerin, lê venegeriyan. Em êdî dizanin ku ew nema li me vedigerin.

Lê tola wan hate hilanîn û em îro bûne xwedî Kurdistaneke azad. Êdî em li ser axa xwe azad in. Ji ber vê yekê ye ku divê em wê soza ku me dabû bînin cih. Divê êdî em reşgirêdanên xwe rakin.

Girêdana reş, xemgînî ye, şûn û îşareta êş û azarê ye. Lê me ew qonax derbas kir. Divê em nehêlin ku zarokên me yên biçûk û neviyên me weke me bi derd û êş bijîn. Bila êdî ew jî kêf bikin, ev heqê wan e jî. Me gelek êş dîtin, gelek derd kişand me dilê xwe bi vî reşbûnê sot. Lê bila zarokên me jî weke me, ne dilşewat bin. Bila ew rehet û bi kêfxweşî li ser axa xwe ya azad bijîn. Lê weke min berê jî gotibû, êdî ew reşgirêdan piştî tolhilanînê bo mode…

Belê kurê min, Samiyê min û Mihemedê min êdî hem me govenda xwe ya azadiyê digerand hem jî me bi axaftinên xwe êşên xwe û paşeroja xwe jî guftogo dikir. Lewma Seyranê jî hem govend dikir û hem jî wê bi kêfxweşî got:

- Gulxanim rast û xweş dibêje. Me gelek êş û jan kişandin, em gelek êşiyan. Zehmetiyên ku me jin û keçên Barzaniyan dîtine li vê cîhanê tu jinan nedîtin e. Lê em dizanin dara azadiyê bi xwînê tê avdan. Me jî bi xwîna mêr, kur, mam û xalên xwe Kurdistanake azad bi dest xist. Lewma dive êdî dilê me ne reş be da ku dilê biçûkan jî reş nebe. Tiştên me dîtin tofaneke nedîtûbû ku li devera Barzan û li tevaya Kurdistanê pêk hatibû. Divê êdî em zarokên xwe ji tofanê biparêzin. Welat azad bû. Lê karê herî zehmet jî piştî azadiyê ye. Ew kar jî divê êdî kur û neviyên me bikin. Ew jî bi xwendin û zanînê dibe. Lewre dive êdî me çawa biçûkên xwe heta roja îro anîn, dive ji niha û pê de ew bixwînin, xwe zana û jîr bikin da ku van karesatên hatine serê bav û bapîrên wan tevan binivîsînin. Binîvîsînin û diyarî gelê xwe û raya cîhanê bikin.

Piştî axaftina Seyranê ya delal, pîrê dîsa dest bi axaftinê kir û got.

- Ez qet ji bîr nakim. Piştî vegera Barzaniyan ji Sovyetê, rojekê li çiyayê Sprêz şerekî mezin di navbera pêşmergeyan û leşkerên Iraqê de derketi bû. Leşkeran zerarek mezin dîtibû. Bi şûnde vegeriyabûn. Lê pêşmergeyên qehraman wê rojê rûpelekî nû li hember wê artêşa mezin di dîrokê de nivîsîn. Di wê roja xedar de li gel ku leşkerên Seddam xwedî çekên herî modern jî bûn, wan bêtir zerar dîtin. Tenê pêşmergeyan du şehîd dabûn û çend kesên birîndar jî hebûn. Ji bo dermankirina wan, min xwe gihand nava pêşmergan. Piştî ku min karê xwe qedand Barzaniyê nemir jî li gel çend pêşmêrgan hat wir.

Rewşa birîndaran pirsî. Piştî cixareyek pêça wiha

li min û li yên birîndar û li pêşmergeyên bi wî re bûn nêrî û got: "Bala xwe bidinê, em niha şer dikin, birîndar dibin, şehîd dikevin. Lê piştî welat azad bibe, dibe ku kesên qet zehmetî nekişandibin, ew ji pêşmergeyan, ji kur û neviyên wan bêtir fêdê bibînin, xweştir bijîn. Ji ber ku zarokên wan dixwînin zana dibin. Lê em niha li serê çiyan in, zarokên me jî li gund û bajaran perîşan in. Lewma temiya min li we divê heta ji destê we bê zarokên me bila bixwînin. Ji ber ku di civakên zana de şaşî û kêmanî kêmtir dibin." Aha li ser vê gotina wî divê em jî êdî zorê bidin nevî û zarokên xwe da ku ew bixwînin, zana bibin. Ji ber ku kesên zana dizanin, kesên zana xwe dinasin û kesên xwe dinasin jî dikarin xwe bidin nasîn.

Pîra me di govendê de serê xwe rakir, li ciwanên Barzaniyan nêrî û axaftina xwe wiha domand.

Êdî hûn mezin bûne û bîra her tiştekî dibin. Êdî hûn jî hin tiştan dizanin û fêr dibin û bûne. Kal, bav mam û xalên we ji bo çi hatine Enfalkirin jî dizanin. Ew êdî nema li me, li we vedigerin. Lê wan ji bo we, ji bo me welatekî azad hiştin da ku êdî kesên me neyên Enfalkirin. Me jî weke jinên Barzaniyan bi hemî hêz û qawata xwe nehişt ku hûn destên xwe li ber ereban vegirin û serê xwe li ber dijmin bitewînin. Êdî em jî pîr dibin. Niha dor dora we ye.

Vê carê jî Kevê ya ku di govendê de bûbû weke avê, bi wê kêf û şahiyê haya wê jê tunebû ka çi qas xwêdan daye. Gotin ji devê pîrê girt û got:

- Pîra me, aqilmenda me, piştgir û sebra me, mafdar e. Bav, bira û bapîrên me çûn lê wan ji me re welatekî azad hişt in. Parastina vî welatî, avadana wî jî barê hustiyê ciwan û xortên Barzaniyan e.

Parastina vî welatî bi xwendin û zanînê dibe. Em ji şerê çekdarî azad bûn, lê divê êdî hûn şerê qelemê bikin.

Ji ber ku kesên nexwenda tê nagihîjin. Ew qelem çi qas biçûk be jî, lê dikare karê dinyayekê bike. Îro her tişt bi saya wê tê dîtin û îcadkirin. Îro ev cîhana xweş bi saya wê hatiye xemilandin. Lewma divê êdî xortên Barzaniyan bixwînin, xwe zana bikin. Çawa bav û bapîrîn me bi çekên xwe pêşevaniya gelê xwe dikirin, divê law, keç û neviyên wan jî bi qelemên xwe pêşevaniya gelê xwe bikin. Ji ber ku mirov tenê bi xwendina dibistanê zana û jîr nabe. Dibe ku mirov bi xwendina dibistanê tenê di beşa xwe ku mirov dixwîne zana bibe. Lê zanabûn, fêrbûn, têgihîştin bi xwendina zêde û nivîsandinê dibe.

Gulxanima ku kêf kêfa wê bû, dîsa destpê kir û got:

- Tiştên min û we gotin ne ew tenê ye. Divê ciwanên Barzaniyan dîrokê bixwînin, rabirdûyên pêşiyên xwe binasin. Serîhildan û berxwedanên gelê xwe, bav û bapîrên xwe bizanibin. Bizanibin da ku wan bi cîhanê bidin zanîn û nasîn. Lewma dive xortên Barzaniyan êdî bixwînin. Wê tofana hatibû serê gelê xwe binivîsînin. Derdê miletê xwe bi helbestan bêjin, cefa, zor û zehmetiyên hatine dîtin bikin çîrok. Berxwedana miletê xwe bikin destan, bikin roman ev jî bi xwendinê dibin.

Belê gotina min ev e: Weke diyar e, ev bi salan e em weke jinên Barzaniyan weke dayîkên we, me her kar dikir da ku we xwedî û mezin bikin. Lê êdî şukur ji rehma Xwedê re va ye welatê me azad bû. Li vî welatê azad bi rêbertiya hukumeta Kurdistanê êdî li hemî gundên Kurdistanê dibistan wê bêne vekirin. Divê êdî hûn bixwînin û em jî we bişînin xwendinê da ku hûn zana bibin.

Govend, şahî û axaftina wan heta ber destê sibê dom kir. Piştî wê bi dilxweşî ji hev belav bûn. Herkes ber bi malên xwe de çû da ku rehet razê. Berî ku ji hev belav bibin Seyranê dîsa axaftinek kir û got:

- Êdî wê zarok û jinên kurdan û Barzaniyan bi rehetî razên. Gelî xort û keçên Barzaniyan! Êdî roj roja we ye. Bila dîrok bimîne di rûreşiya xwe de. Ez jî, em jî êdî biçin razên. Ev bi salan e, em bi rehetî ranezabûn. Lê ji bîr nekin. Bixwînin, zana bibin. Niha şerê herî mezin li benda we ciwanên Barzaniyan e. Ew jî bi qelemê dibe.Bila qelemê we xurt be. Vê baş bizanibin, dijmin ji çekên kurdan natirsin. Lê tirsa wan ya herî mezin qelema kurdan e. Temiya min li we xortên Barzaniyan. Divê êdî hûn jî bi qelemên xwe pêşevaniya gelê xwe bikin. Bi zanînên xwe, rêya baş fêrî gelê xwe bikin. Bi têgihiştinên xwe, welatê xwe avadan bikin. Ev welatê azad, ji bo temama kurdan ronahî ye. Dil û gurçik e. Çav û guh e. De êdî bi xatirê we.

Belê kurê min, Samiyê min, Mihemedê min. Êdî pîra te bi çavên xwe azadî dît. Bi guhên xwe dengê kêfxweşiya azadiya kurdan bihîst, bi destê xwe ala kurdî bi awayekî azad bilind kir.

Êdî ez westiyam kurê min. Ew qas ji min hat. Êdî divê tu û hemî nivîskar û rewşenbîrên kurdan li ser derd û êşên Enfalê rawestin. Wan êş û azarên hatin dîtin, binivîsînin û li cîhanê belav bikin. Ez baş dizanim karê herî zor karê qelemê ye madem te jî ew hilbijartiye, nesekine û her karê xwe bike. Ji pîra te ew qas hat. Çavên kurê xwe maç dikim. Ji te re serketinê dixwazim.

Pîrê gotina xwe qedandibû ya hê neqedandibû, Hazim derî vekir û kete hundir silav da û ew jî li ba Samî rûnişt û xwest weke hercar pirsên Samî û bersivên pîra xwe guhdarî bike. Nêrî ku bêdengî heye. Meraq kir û got:

- Çima hûn niha bêdeng in pîrê?

- Kurê pîra xwe min karê xwe qedand. Tiştên min zanîbûn û hatin bîra min, min ji Samiyê xwe re vegotin. Ji bo wî jî êdî dereng e. Zarok û hevsera wî jî li benda wî ne...

Belê, pîrê bi rastî jî karê xwe yê heta vir qedandibû. Lê hê gelek tiştên ku pîrê wê bigotina hebûn. Ji ber rewşa Samî û zêde li welatê xwe yê azad mayîna wî û bi tenêhiştina zarokan, pîrê xwest li vir karê xwe biqedîne û qedand.

Tiştekî ku êdî Samî bikira nemabû. Ew jî rabû ser

xwe, destê pîra xwe maçî kir, spasiya wê kir, derket û çû...

Derket û çû lê êdî karê wî yê asasî wê destpê bikira. Êdî divê ew mal bi mal bigeriya, bi jinên bê mêr, bi keçên bidergîstî, bi zarokên li dû bavê xwe hatibûn dinyayê guhdarî bikira, derd û êşan wan jî binivîsanda.

Binivîsanda û bida zanîn ku ev karesata ku hatiye serê gelê wî, ne Enfal e, ev jenosîdeke bi eman e. Ji bo ku ev weke jenosîd di qada navneteweyî de bê qebûl kirin divê hemî nivîskar, rewşenbîrên gel dest bavêtana vê mijarê.

Ev mijar, mijareke wiha ye ku ji bilî kurdan kesê ev ne dîtiye, ne jiyaye û ne jî bihîstiye. Ev mijar mijareke wiha ye ku jin bê mêr, keç bê dergîst, zarok bê bav hiştiye. De were vê şîrove bike ka zarokek bê bav çawa jiya ye...

Belê pîra min ya delal, li ser gotin û pêşniyariya te ez li gelek malên Enfaliyan geriyam, li wan bûme mêvan, êşa wan parve kir û tiştên gotin nivîsîn...

Li ser Mezarê Mela Mistefa û Idrîs Barzanî